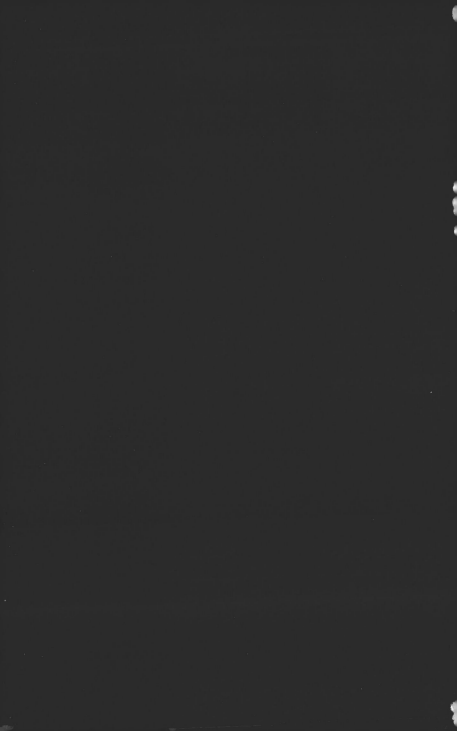

미쉐린 가이드

THE MICHELIN GUIDE

서울 | SEOUL

MICHELIN

미쉐린 가이드 IN 서울
THE MICHELIN GUIDE IN SEOUL

매력적인 미식의 도시 서울, 『미쉐린 가이드 서울』의 2020 에디션을 소개합니다.

먹고 마시는 이야기를 다루는 『미쉐린 가이드 서울』의 평가원들은 독자 여러분의 미식과 식탐, 식성과 식욕을 충족시키기 위해 오늘도 변함없이 도시 구석구석에 숨어 있는 보물 같은 맛을 찾아 다니고 있습니다.

또한, 객관적이고 공정한 평가를 위해 다른 손님과 똑같은 입장에서 익명으로 레스토랑을 방문하고 경험합니다.

현재 서울에는 전통 한식과 이를 현대적이고 창의적으로 재해석한 한식, 그리고 전 세계 수많은 종류의 음식을 전문으로 하는 레스토랑들이 점점 늘어가고 있습니다. 변화무쌍한 서울에서 흔들림 없이 제자리를 지키고 있는 터줏대감들을 비롯해 21세기 식도락가들의 다양한 취향을 충족시키기 위해 끊임없이 변화를 시도하는 흥미진진한 식당들을 차곡차곡 모아 독자들께 소개하려 합니다.

한 문화의 음식은 시간의 흐름과 함께 진화합니다. 서울의 한식과 뉴욕의 한식은 다를 수밖에 없습니다. 특정 음식을 두고 '가짜'와 '진짜'를 섣불리 논할 수 없는 이유이기도 합니다. 『미쉐린 가이드 서울』의 평가원들은 문화적 정체성을 온전히 지키려는 노력과 새로운 맛을 구현하려는 시도가 뚜렷이 공존하는 이 진화의 시간 속에서, 묵묵히 노력하시는 모든 분들께 감사의 말씀을 전합니다.

『미쉐린 가이드 서울』에서 소개하는 서울의 미식 경험을 독자 여러분 모두가 즐길 수 있기를 바랍니다. 사랑하는 이들과 맛있는 음식을 나누며 소중한 추억을 쌓아 보세요.

맛있게 드세요!

It is our pleasure to bring you the 2020 edition of the Michelin Guide Seoul.

Once again, Michelin inspectors have been exploring the city of Seoul in search of exciting destinations and tantalizing flavors. Not only do these establishments reflect the city's current foodscape, they also pay respect to the time-honored traditions that continue to serve as a source of inspiration for modern-day chefs. The inspectors make sure the evaluations are conducted fairly and objectively through anonymous visits.

Seoul is a culinary destination that offers a broad spectrum of local cuisine and international fare from across the world. In a city that is home to both decades-old family- style eateries and state-of-the-art experimental kitchens, we are excited to share with you our latest discoveries.

A nation's food culture inevitably evolves over the passage of time. For the same reason that Korean food in Seoul and Korean food in New York are distinguishable, a dish cannot and should not be ridiculed for "lacking authenticity." In an age where staunch efforts to preserve Korea's culinary identity and bold attempts to experiment with new possibilities exist side by side, we thank everyone who has played a part in molding Seoul's ever-expanding food scene.

We hope you savor the experiences we are about to share with you in this guide, and thereby, make plenty of memories with your loved ones.

Bon appétit!

목차
CONTENTS

5,80
30ch
9/20
(mai-oct)

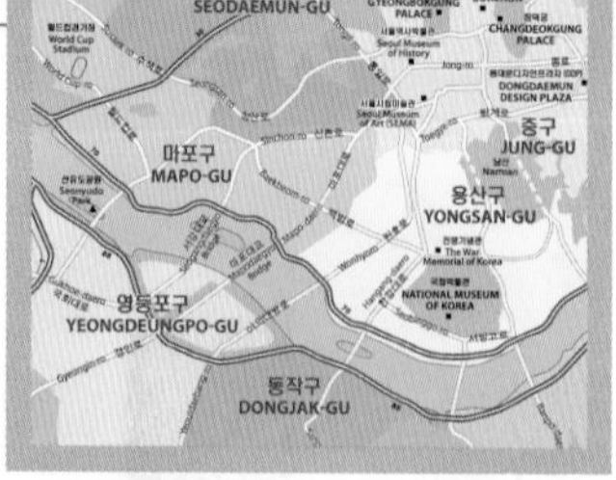

종로구
JONGNO-GU
서대문구
SEODAEMUN-GU
GYEONGBOKGUNG PALACE
BUKCHON
CHANGDEOKGUNG PALACE
DONGDAEMUN DESIGN PLAZA
중구
JUNG-GU
마포구
MAPO-GU
용산구
YONGSAN-GU
NATIONAL MUSEUM OF KOREA
영등포구
YEONGDEUNGPO-GU
동작구
DONGJAK-GU

서울의 먹거리... 용어사전
EATING IN SEOUL... GLOSSARY

출처 : 국립국어원
Source: National Institute of Korean Language

KOREAN	ROMANIZATION	ENGLISH
(돼지)수육	Suyuk	Boiled Pork Slices
(돼지)양념갈비	Yangnyeomgalbi	Marinated Grilled Pork Ribs
간장	Ganjang	Soy Sauce
간장게장	Ganjang-Gejang	Soy Sauce Marinated Crab
갈비구이	Galbi-gui	Grilled Ribs
갈치구이	Galchi-Gui	Grilled Cutlassfish
감자전	Gamja-jeon	Potato Pancake
감자탕	Gamjatang	Pork Back-bone Stew
계란찜	Gyeranjjim	Steamed Eggs
고추장	Gochujang	Red Chili Paste
고추전	Gochujeon	Pan-fried Battered Chili Pepper
골뱅이무침	Golbaengi-Muchim	Spicy Sea Snail Salad
곰국시	Gomguksi	Beef Noodles
곰장어	Gomjangeo	Sea Eel
곰탕	Gomtang	Beef Bone Soup
곱창구이	Gopchang-Gui	Grilled Beef Small Intestine
구절판	Gujeolpan	Platter of Nine Delicacies
굴국밥	Gul-Gukbap	Oyster and Rice Soup
김	Gim	Laver
김치	Kimchi	Kimchi
깍두기	Kkakdugi	Diced Radish Kimchi
꽃게탕	Kkotgetang	Spicy Blue Crab Stew
녹두전	Nokdujeon	Mung Bean Pancake
누룽지닭백숙	Nurungji Dak-Baeksuk	Whole Chicken Soup with Scorched Rice
닭갈비	Dakgalbi	Spicy Stir-fried Chicken

KOREAN	ROMANIZATION	ENGLISH
닭백숙	Dak-Baeksuk	Whole Chicken Soup
대구맑은탕	Daegu-Malgeun-Tang	Codfish Soup
대창구이	Daechang-Gui	Grilled Beef Large Intestine
도가니탕	Doganitang	Ox Knee Soup
도토리묵	Dotorimuk	Acorn Jelly Salad
돌솥비빔밥	Dolsot-Bibimbap	Hot Stone Pot Bibimbap
동치미	Dongchimi	Radish Water Kimchi
돼지국밥	Dwaeji-Gukbap	Pork and Rice Soup
된장	Doenjang	Soybean Paste
된장국	Doenjang-Guk	Soybean Paste Soup
된장찌개	Doenjang-Jjigae	Soybean Paste Stew
두부	Dubu	Bean Curd
두부전	Dubu-Jeon	Pan-fried Battered Bean Curd
떡갈비	Tteok-Galbi	Grilled Short Rib Patties
떡국	Tteokguk	Sliced Rice Cake Soup
막걸리	Makgeolli	Unrefined Rice Wine
막국수	Makguksu	Buckwheat Noodles
막창구이	Makchang-Gui	Grilled Beef Reed Tripe
만두	Mandu	Dumpling

KOREAN	ROMANIZATION	ENGLISH
만둣국	Mandutguk	Dumpling Soup
매운탕	Maeuntang	Spicy Fish Stew
멍게 비빔밥	Meongge-Bibimbap	Sea Pineapple Bibimbap
메밀국수	Memil-Guksu	Buckwheat Noodles
메밀전	Memil-Jeon	Buckwheat Pancake
메밀전병	Memil-Jeonbyeong	Buckwheat Crêpe
묵은지찜	Mugeunji-Jjim	Braised Pork with Aged Kimchi
물냉면	Mul-Naengmyeon	Cold Buckwheat Noodles
물회	Mulhoe	Cold Raw Fish Soup
미역국	Miyeokguk	Seaweed Soup
바싹불고기	Bassakbulgogi	Thin-sliced Bulgogi
밥	Bap	Steamed Rice
배추나물	Baechunamul	Cabbage Salad/Napa Cabbage Salad
백김치	Baekkimchi	White Kimchi
보쌈	Bossam	Napa Wraps with Pork
복국	Bokguk	Puffer Soup
부각	Bugak	Vegetable and Seaweed Chips
불고기	Bulgogi	Bulgogi

KOREAN	ROMANIZATION	ENGLISH
불고기	Bulgogi	Bulgogi
비빔냉면	Bibim-Naengmyeon	Spicy Buckwheat Noodles
비빔밥	Bibimbap	Bibimbap
빈대떡	Bindaetteok	Mung Bean Pancake
삼겹살	Samgyeopsal	Grilled Pork Belly
삼계탕	Samgyetang	Ginseng Chicken Soup
선짓국	Seonjitguk	Beef Blood Soup
설렁탕	Seolleongtang	Ox Bone Soup
수제비	Sujebi	Hand-pulled Dough Soup
순대	Sundae	Blood Sausage
순댓국	Sundae-Guk	Blood Sausage Soup
순두부찌개	Sundubu-Jjigae	Soft Bean Curd Stew
신선로	Sinseollo	Royal Hot Pot
쌈밥	Ssambap	Leaf Wraps and Rice
아귀찜	Agwijjim	Spicy Braised Monkfish
양념갈비	Yangnyeom-Galbi	Yangnyeom-Galbi
얼갈이김치	Eolgari-Kimchi	Winter Cabbage Kimchi
육개장	Yukgaejang	Spicy Beef Soup
육전	Yukjeon	Pan-fried Battered Beef
육회	Yukhoe	Beef Tartare
잡채	Japchae	Stir-fried Glass Noodles and Vegetables
전복죽	Jeonbokjuk	Abalone Porridge
족발	Jokbal	Braised Pigs' Feet
주꾸미볶음	Jukkumibokkeum	Stir-fried Webfoot Octopus
청국장찌개	Cheongukjang-Jjigae	Rich Soybean Paste Stew
추어탕	Chueotang	Loach Soup
칼국수	Kalguksu	Noodle Soup
콩나물국밥	Kongnamul-Gukbap	Bean Sprout and Rice Soup
콩국수	Kong-Guksu	Noodles in Cold Soybean Soup
평양냉면	Pyeongyang-Naengmyeon	Pyeongyang Cold Buckwheat Noodles
한정식	Han-Jeongsik	Korean Table d'hote
함흥냉면	Hamheung-Naengmyeon	Hanmheung Cold Buckwheat Noodles
헛제삿밥	Heotjesatbap	Bibimbap with Soy Sauce
호박전	Hobakjeon	Pan-fried Battered Zucchini
호박죽	Hobakjuk	Pumpkin Porridge

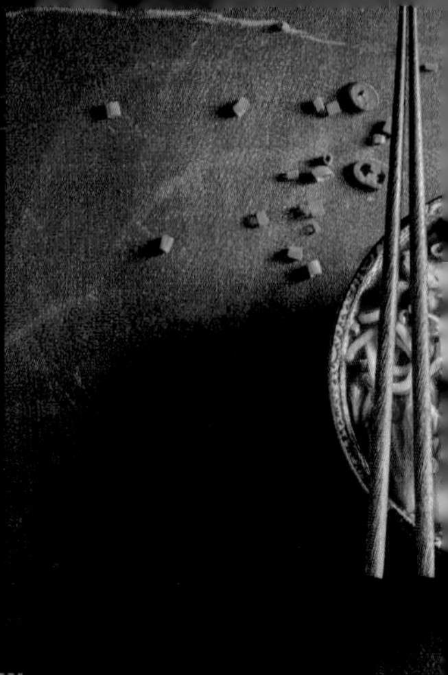

미쉐린 가이드의 약속

미쉐린 평가원들은 그들이 방문하는 레스토랑과 호텔이 어디에 있든 항상 체계적이고 동일한 기준을 적용해 일관된 방법으로 평가를 진행합니다.

<미쉐린 가이드>는 그 명성에 걸맞게 독자 여러분께 다음과 같이 약속드립니다.

평가원들은 철저히 익명성을 유지하며 레스토랑과 호텔의 정기적인 방문을 통해 일반 고객과 동일한 서비스하에서 평가를 진행합니다. 이들은 모든 음식값을 지불함으로써 공정성을 유지하고, 필요한 경우 평가를 모두 마친 후에야 본인 소개와 함께 레스토랑이나 호텔에 대한 자세한 정보를 문의할 수 있습니다.

독자를 최우선으로 생각하는 <미쉐린 가이드>는 공정성 유지를 위해 모든 평가를 독립적으로 진행하며, 가이드에 등재된 레스토랑과 호텔은 미쉐린에 그 어떤 비용이나 대가를 지불하지 않습니다. 모든 결정은 평가원 팀의 토의를 거쳐 이루어지며, 세계적인 기준을 동일하게 적용합니다.

독자들이 신뢰할 수 있는 정보 제공을 위해 <미쉐린 가이드>에 소개하는 모든 정보와 등급 부여는 매년 재평가 후 새롭게 갱신합니다.

전 세계에 발간되는 <미쉐린 가이드>는 어느 곳이나 동일한 평가 기준을 적용하기 때문에 그에 대한 동일한 가치를 느낄 수 있습니다.

모든 나라의 문화와 음식은 각기 다르지만, 그 음식의 가치와 퀄리티에 대한 기준은 미쉐린 스타 선정 과정에 있어 가장 중요한 원칙입니다. 미쉐린의 목표는 독자 여러분의 '이동성의 향상'입니다.

여러분의 미식 여행이 안전하고 즐거운 여정이 될 수 있도록 최선의 노력을 다하겠습니다.

THE MICHELIN GUIDE'S COMMITMENTS

Whether they are in Japan, the USA, China or Europe, our inspectors apply the same criteria to judge the quality of each and every restaurant and hotel that they visit. The MICHELIN guide commands a **worldwide reputation** thanks to the commitments we make to our readers - and we reiterate these below:

Our inspectors make regular and **anonymous visits** to restaurants and hotels to gauge the quality of products and services offered to an ordinary customer. They settle their own bill and may then introduce themselves and ask for more information about the establishment.

To remain totally objective for our readers, the selection is made with complete **independence**. Entry into the guide is free. All decisions are discussed with the Editor and our highest awards are considered at an international level.

The guide offers a **selection** of the best restaurants and hotels in every category of comfort and price. This is only possible because all the inspectors rigorously apply the same methods.

All the practical information, classifications and awards are revised and updated every year to give the most **reliable information** possible.

In order to guarantee the **consistency** of our selection, our classification criteria are the same in every country covered by the MICHELIN guide. Each culture may have its own unique cuisine but **quality** remains the **universal principle** behind our selection.

Michelin's mission is to **aid your mobility**. Our sole aim is to make your journeys safe and pleasurable.

THE MICHELIN DISTINCTIONS FOR GOOD CUISINE

STARS

전 세계적으로 유명한 '미쉐린 ✿ 1스타 ✿✿ 2스타 ✿✿✿ 3스타'는 요리의 재료의 수준과 맛의 조화, 기술과 창의성 그리고 언제나 변함없는 맛의 일관성을 충족하는 레스토랑에 주어집니다.

✿✿✿ 요리가 매우 훌륭하여 특별히 여행을 떠날 가치가 있는 레스토랑
✿✿ 요리가 훌륭하여 찾아갈 만한 가치가 있는 레스토랑
✿ 요리가 훌륭한 레스토랑

BIB GOURMAND

합리적인 가격에 훌륭한 음식을
제공하는 레스토랑

이 심볼은 합리적인 가격에 훌륭한 음식을 제공하는 레스토랑을 나타냅니다. 빕 구르망 등급을 받은 레스토랑 에서는 1인당 45,000원 혹은 그 이하의 가격에 식사를 즐기실 수 있습니다.

PLATE

신선한 재료를 사용한 좋은 요리를 맛볼 수 있는 레스토랑을 나타냅니다.

미쉐린 가이드 심볼

새롭게 추가된 레스토랑 / 호텔

레스토랑

훌륭한 와인 리스트
훌륭한 전통술

시설 및 서비스

장애인 편의 시설
야외 테라스
좌식 테이블
훌륭한 전망
발렛 파킹
주차 시설
8 별실 보유 및 최대 수용 인원
바 테이블
예약 권장 / 예약 불가능
일요일 영업
늦은 시간 영업
조용함
회의 시설
실외 / 실내 수영장
스파
피트니스 센터
카지노

가격 범위

레스토랑

₩	20,000원 이하
₩₩	20,000원-50,000원
₩₩₩	50,000원-100,000원
₩₩₩₩	100,000원-200,000원
₩₩₩₩₩	200,000원 이상

호텔

₩	300,000원 이하
₩₩	600,000원 이하
₩₩₩	1,000,000원 이하

THE MICHELIN GUIDE'S SYMBOLS

Ⓝ	New entry in the guide

RESTAURANTS

🍇	Interesting wine list
🍶	Interesting Korean liquor or Sake

FACILITIES & SERVICES

♿	Wheelchair access
⛱	Terrace dining
👟	Shoes off
⋞	Interesting view
🚗	Valet parking
P	Car park
8	Private room with maximum capacity
	Counter
	Reservations required / not accepted
☼	Open Sunday / Open late
	Quiet
	Conference rooms
	Indoor / Outdoor swimming pool
Spa	Spa
	Exercise room
$	Casino

PRICE RANGE

RESTAURANTS

₩	Under 20,000 KRW
₩₩	20,000-50,000 KRW
₩₩₩	50,000-100,000 KRW
₩₩₩₩	100,000-200,000 KRW
₩₩₩₩₩	Over 200,000 KRW

HOTELS

₩	Under 300,000 KRW
₩₩	Under 600,000 KRW
₩₩₩	Under 1,000,000 KRW

THE MICHELIN DISTINCTIONS FOR GOOD CUISINE

STARS

Our famous One ✿, Two ✿✿ and Three ✿✿✿ Stars identify establishments serving the highest quality cuisine – taking into account the quality of ingredients, the mastery of techniques and flavours, the levels of creativity and, of course, consistency.

✿✿✿ Exceptional cuisine, worth a special journey!

✿✿ Excellent cuisine, worth a detour!

✿ High quality cooking, worth a stop!

BIB GOURMAND

This symbol indicates our inspectors' favorites for good value. These restaurants offer quality cooking for 45,000 KRW or less (excluding drinks).

PLATE

Good cooking.
Fresh ingredients, capably prepared:
simply a good meal.

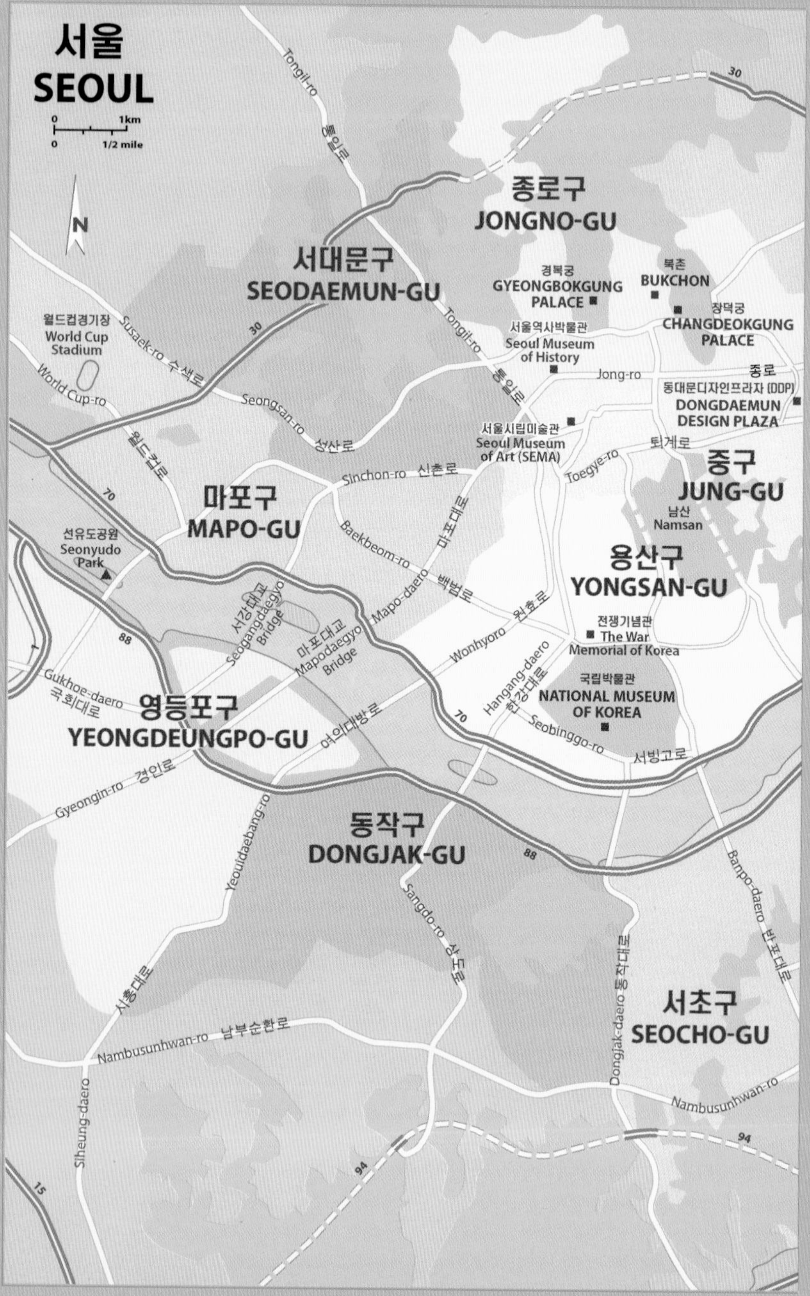
서울
SEOUL
0 1km
0 1/2 mile
N
종로구
JONGNO-GU
서대문구
SEODAEMUN-GU
경복궁
GYEONGBOKGUNG PALACE
북촌
BUKCHON
창덕궁
CHANGDEOKGUNG PALACE
서울역사박물관
Seoul Museum of History
Jong-ro
종로
동대문디자인프라자 (DDP)
DONGDAEMUN DESIGN PLAZA
서울시립미술관
Seoul Museum of Art (SEMA)
퇴계로
Toegye-ro
중구
JUNG-GU
남산
Namsan
월드컵경기장
World Cup Stadium
Susaek-ro 수색로
World Cup-ro
월드컵로
Seongsan-ro
성산로
Tongil-ro
통일로
Sinchon-ro 신촌로
마포구
MAPO-GU
선유도공원
Seonyudo Park
Baekbeom-ro
백범로
Mapo-daero
마포대로
용산구
YONGSAN-GU
서강대교
Seogangdaegyo Bridge
마포대교
Mapodaegyo Bridge
Wonhyoro 원효로
전쟁기념관
The War Memorial of Korea
Hangang-daero
한강대로
국립박물관
NATIONAL MUSEUM OF KOREA
Seobinggo-ro
서빙고로
Gukhoe-daero
국회대로
영등포구
YEONGDEUNGPO-GU
여의대방로
Gyeongin-ro 경인로
동작구
DONGJAK-GU
Yeouidaebang-ro
Sangdo-ro 상도로
Dongjak-daero 동작대로
Banpo-daero 반포대로
서초구
SEOCHO-GU
시흥대로
Nambusunhwan-ro 남부순환로
Siheung-daero
Nambusunhwan-ro
30
70
88
94
15

성북구
SEONGBUK-GU
동대문구
DONGDAEMUN-GU
성동구
SEONGDONG-GU
광진구
GWANGJIN-GU
강남구
GANGNAM-GU
송파구
SONGPA-GU
동소문로
Dongsomun-ro
망우로
Mangu-ro
왕산로
Wangsan-ro
Cheonho-daero
천호대로
Wangsimni-ro 왕십리로
Achasan-ro
아차산로
압구정로
Apgujeong-ro
도산대로
Dosan-daero
봉은사
Bongeunsa Temple
봉은사로
Bongeunsa-ro
선정릉
Seonjeongneung
Eonju-ro
언주로
테헤란로
Teheran-ro
Samseong-ro
삼성로
Gangnam-daero
강남대로
남부순환로
Nambusunhwan-ro
양재대로
Yangjae-daero
올림픽로
Olympic-ro
올림픽파크
Olympic Park
Songpa-daero
송파대로
예술의전당
Seoul Arts Center
NA
AH1
30
31
51
61
70
88
100
309
1

레스토랑 & 호텔... 지역별 셀렉션
RESTAURANTS & HOTELS... OUR SELECTION BY DISTRICT

tawatchaiprakobkit/iStock

강남구
GANGNAM-GU

강남구 GANGNAM-GU

레스토랑
RESTAURANTS

가온
GAON

한식 *Korean*

'한식 문화'의 전파라는 목적하에 광주요 그룹에서 운영하고 있는 가온. 여백의 미가 돋보이는 실내 공간, 광주요에서 특별 제작한 식기와 도자기, 그리고 김병진 셰프의 품격 있는 요리로 한식의 멋을 잘 보여준다. 보다 많은 사람들이 한식을 제대로 이해하고 한식에 대해 이야기할 수 있었으면 좋겠다는 셰프의 바람이 음식을 통해 고스란히 전해진다. 각종 모임이나 비즈니스에 적합한 별실을 비롯해 확장한 다이닝 홀은 손님들에게 편안한 식사 공간을 제공한다.

Operated by the KwangJuYo Group, maker of fine ceramicware and traditional Korean liquor, Gaon is a dining restaurant committed to promoting a better understanding of Korean food around the world and celebrates Korea's time-honored aesthetic values. The food, made with the best ingredients each season has to offer, is meticulously presented on custom-designed KwangJuYo ceramic vessels. Private rooms are available upon request.

18

TEL. 02-545-9845

강남구 도산대로 317, 호림아트센터 M층

M Floor Horim Art Center, 317 Dosan-daero, Gangnam-gu

www.gaonkr.com

■ 가 격/PRICE

코스Menu ₩₩₩₩₩

■ 운영시간/OPENING HOURS

저녁 Dinner 17:30-20:30 (L.O.)

■ 휴무일
ANNUAL AND WEEKLY CLOSING
설날, 추석, 일요일 휴무
Closed Lunar New Year, Korean Thanksgiving and Sunday

Gaon

TEL. 02-542-6268

강남구 압구정로 80길 37, 4층

4F, 37 Apgujeong-ro 80-gil, Gangnam-gu

www.kwonsooksoo.com

■ 가격 PRICE

점심 Lunch

코스 Menu ₩₩₩

저녁 Dinner

코스 Menu ₩₩₩₩

■ 운영시간 OPENING HOURS

점심 Lunch 12:00-13:30 (L.O.)

저녁 Dinner 18:00-20:00 (L.O.)

■ 휴무일

ANNUAL AND WEEKLY CLOSING

1월 1일, 5월 1일, 설날, 추석, 일요일 휴무

Closed 1st January, 1st May, Lunar New Year, Korean Thanksgiving and Sunday

권숙수

KWONSOOKSOO

한식 *Korean*

'전문 조리사'를 뜻하는 '숙수'에서 착안해 이름 지은 '권숙수'는 권우중 셰프의 한식 레스토랑이다. 이곳에선 한식의 기본 맛을 좌우하는 장, 젓갈, 식초 등을 직접 담가 사용하는데, 이러한 정성이 권숙수만의 기품 있는 요리를 완성한다. 제철 식재료 중에서도 좀 더 진귀한 재료를 선별하고, 흔한 식재료일지라도 창의적인 조합을 통해 새로운 요리로 탄생시키는 권 셰프의 노력과 열정을 곳곳에서 발견할 수 있다. 좋은 음식을 위해서라면 일절 타협하지 않는 '숙수'의 고집이 고스란히 녹아 있는 이곳에서 한식의 깊은 맛을 느껴보길.

Chef Kwon Woo-joong's homage to tradition is evident in every facet of Kwonsooksoo, even in the name itself ("sooksoo" is an archaic term for "professional cook"). Inspired by time-honored methods of cooking, Kwon digs deep into his own roots. He tirelessly scours the country for rare finds that best represent each of the seasons and transforms even the most mundane ingredients into something special. What the diners get to experience is passion on a plate, coupled with a good dose of ingenuity.

Kwon Sook Soo

밍글스
MINGLES

코리안 컨템퍼러리 *Korean contemporary*

'밍글스'가 새로운 곳에 둥지를 틀었다. 따뜻한 여백의 미가 돋보이는 실내 디자인, 한국 음식의 정갈한 멋을 한층 더 살려 주는 도예 기물, 여기에 주방을 이끄는 강민구 셰프의 젊고 감각적인 재능까지, 다양한 전문가들의 감각과 감성이 하나의 공간에 모여 있다. 초창기부터 뚜렷한 한국적 색채를 기반으로 전통과 현대의 경계를 자유롭게 넘나들며 밍글스만의 맛과 멋을 창조해온 강민구 셰프는 새로운 공간에서 한 걸음 더 진화된 요리를 선보인다. 밍글스만의 독특한 매력은 전복 배추선과 어만두처럼 경계를 허무는 요리에서 정점을 이룬다. 김민성 매니저가 이끄는 서비스 팀의 배려 깊은 고객 응대 역시 레스토랑의 가치를 한층 더 높여 준다.

Chef Kang Min-goo's keen eye for detail shines in this relocated space of Mingles, from the ceramicware that highlights the beauty of Korean cuisine to the warm luxury of "empty space" apparent in the interior design. From the beginning, Kang has marched to the beat of his own drum, breaking down barriers by marrying the old with the new, but always with a deep respect for tradition. His journey and evolution continues, with dishes like Abalone and Cabbage Seon and Fish Mandu showcasing the creativity of the chef and his talented team.

10

TEL. 02-515-7306

강남구 도산대로67길 19, 2층

2F, 19 Dosan-daero 67-gil, Gangnam-gu

www.restaurant-mingles.com

■ 가격 PRICE

점심 Lunch
코스 Menu ₩₩₩

저녁 Dinner
코스 Menu ₩₩₩₩

■ 운영시간 OPENING HOURS

점심 Lunch 12:00-13:30 (L.O.)
저녁 Dinner 18:00-20:00 (L.O.)

■ 휴무일
ANNUAL AND WEEKLY CLOSING
설날, 추석, 월요일 휴무
Closed Lunar New Year, Korean Thanksgiving and Monday

Mingles

알라 프리마
ALLA PRIMA

이노베이티브 *Innovative*

10

TEL. 02-511-2555

강남구 학동로 17길 13

13 Hakdong-ro 17-gil, Gangnam-gu

■ 가격 PRICE

점심 Lunch
코스 Menu ₩₩₩

저녁 Dinner
코스 Menu ₩₩₩₩

■ 운영시간 OPENING HOURS

점심 Lunch 12:00-13:00 (L.O.)
저녁 Dinner 18:00-20:00 (L.O.)

■ 휴무일
ANNUAL AND WEEKLY CLOSING

설날, 추석, 일요일 휴무
Closed Lunar New Year, Korean Thanksgiving and Sunday

늘 과감하고 창의적인 요리로 미식가들의 발길을 유혹하는 알라 프리마. 오픈된 주방이 한눈에 들어오는 넓은 카운터 테이블과 쾌적한 다이닝 홀, 그리고 프라이빗 다이닝 공간은 과거 협소한 공간에서 비롯되었던 제약들을 훌륭하게 개선했다. 재료를 생명으로 여기는 김진혁 셰프의 요리는 깔끔한 소스, 맛의 밸런스, 그리고 계절 식재료들의 향연이라 할 수 있다. 와인뿐만 아니라 사케와도 잘 어울리는 김 셰프의 모던 퀴진을 경험하려면 예약은 필수다.

Chef Kim Jin-hyuk continues to attract discerning gourmets with his whimsically creative and modern offerings. His reverence for seasonal ingredients, attention to balance, and his delicate yet assertive sauces come together like a symphony that pairs well with both wine and sake. The L-shaped counter with ample seating, the gleaming open kitchen, the spacious dining hall, and the private dining room each do their part to make the diners feel comfortable. Be sure to reserve ahead.

강남구 GANGNAM-GU

Alla Prima

✿✿

임프레션 (N)
L'IMPRESSION
이노베이티브 *Innovative*

뉴욕에서 오랜 시간 프렌치 요리의 진수를 연마해온 서현민 셰프. 그는 자신만의 요리를 만들고 싶었고, 그 답을 찾기 위한 여정을 모국인 한국에서 시작했다. '임프레션'의 요리에는 발효와 숙성에 대한 서현민 셰프의 끊임없는 고민과 연구, 그리고 경험이 고스란히 담겨 있다. 계절의 변화를 느낄 수 있는 도심 속 공원의 아름다운 풍경은 동양적 감각이 깃든 모던한 다이닝 공간과 어우러지면서 아늑한 느낌을 자아낸다. 식사의 시작부터 끝까지 이어지는 섬세한 서비스와 셰프의 감각적인 요리가 수준 높은 다이닝 경험을 제공한다. 본질을 지키면서 다양한 경계를 넘나드는 요리를 통해 서현민 셰프만의 색채를 느껴 보자.

Chef Seo Hyeon-min knows about French cuisine. But after spending many years in New York's finest French kitchens, he wanted to discover his own style. He began that journey of self-discovery in his native Korea. The food at L'Impression is the outcome of a tireless exploration of his own roots, evident in his use of aged and fermented condiments. Inspired by tradition he may be, but the chef is also unafraid of crossing boundaries. Complete with a beautiful view overlooking a lush urban park, the cozy interior is inspired by Eastern design sensibilities. Service is attentive from start to finish.

8

TEL. 02-6925-5522

강남구 언주로 164길 24, 5층

5F, 24 Eonju-ro 164-gil, Gangnam-gu

www.limpression.co.kr

■ 가격 PRICE
점심 Lunch
코스 Menu ₩₩₩
저녁 Dinner
코스 Menu ₩₩₩₩

■ 운영시간 OPENING HOURS
점심 Lunch 12:00-13:00 (L.O.)
저녁 Dinner 18:00-20:00 (L.O.)

■ 휴무일
ANNUAL AND WEEKLY CLOSING
설날, 추석, 일요일, 월요일 휴무
Closed Lunar New Year, Korean Thanksgiving, Sunday and Monday

강남구 GANGNAM-GU

20

TEL. 02-517-4654

강남구 선릉로 158길 11

11 Seolleung-ro 158-gil, Gangnam-gu

www.jungsik.kr

■ 가 격 PRICE

점심 Lunch
코스 Menu ₩₩₩ - ₩₩₩₩

저녁 Dinner
코스 Menu ₩₩₩₩

■ 운영시간 OPENING HOURS

점심 **Lunch** 12:00-14:00 (L.O.)
주말 **Weekend** 11:00-15:00 (L.O.)
저녁 **Dinner** 17:30-21:00 (L.O.)
주말 **Weekend** 17:30-21:30 (L.O.)

정식당
JUNGSIK

코리안 컨템퍼러리 *Korean contemporary*

모던 한식 파인 다이닝을 개척한 장본인이라 평가받는 임정식 셰프는 자신의 이름을 내건 정식당 서울과 정식당 뉴욕을 통해 새롭고 창의적인 한식을 세계에 알리고 있다. 김밥, 비빔밥, 구절판, 보쌈 등 대중들이 친근하게 여기는 다양한 한식 요리에서 영감을 얻어 재해석한 독창적인 메뉴는 한국인에게 익숙한 맛을 기발하게 풀어내는 방식으로 한식의 맛과 멋을 동시에 만족시킨다. 독특한 디저트와 훌륭한 구성의 와인 리스트, 그리고 배려심 깊은 서비스 등 즐거운 식사를 위한 요소들이 두루 갖춰진 곳이다.

Touted as a pioneer of modern Korean fine dining, Chef Yim Jung-sik — with his Seoul and New York restaurants — is credited for introducing Korean cuisine to the world with an innovative flair that is entirely his own. What Yim does best is drawing inspiration from the familiar — gimbap, bibimbap, platter of nine delicacies and napa wraps with pork — and creating something unexpected yet surprisingly evocative and authentic. Whimsical desserts, a good wine list and attentive service — Jungsik has it all.

Jungsik

코지마
KOJIMA

스시 *Sushi*

서울 일식 레스토랑의 품격과 수준을 한 단계 높였다는 평가를 받고 있는 코지마. 이곳은 최고의 식재료를 찾기 위해 끊임없이 노력하는 박경재셰프의 정성과 그 식재료를 최상의 상태로 고객에게 제공하려는 마음가짐이 그대로 전해지는 스시 전문점이다. 많은 애호가들에게 호평받는 이유도 바로 음식의 생명이라 할 수 있는 재료의 신선도와 셰프의 노련한 손맛을 느낄 수 있기 때문이다. 세련되고 모던한 일본 요릿집의 정서가 배어 있는 코지마에 들른다면 고급 스시의 진수를 맛볼 수 있을 것이다.

Some of the most exquisite Japanese food in Seoul can be found at Kojima, a modern and sophisticated sushi restaurant tucked away on the sixth floor of a luxury multi-brand boutique, Boon the Shop. A number of booths and intimate private rooms are available, while the main dining area is complete with a sushi counter. The freshness of the ingredients is the life of this restaurant and veteran chef Park Kyung-jae takes great care in handling the pristine seafood.

6

TEL. 02-2056-1291

강남구 압구정로60길 21, 분더샵 6층

6F Boon the shop, 21 Apgujeong-ro 60-gil, Gangnam-gu

■ 가격 PRICE

점심 Lunch

코스 Menu ₩₩₩₩ - ₩₩₩₩₩

저녁 Dinner

코스 Menu ₩₩₩₩₩

■ 운영시간 OPENING HOURS

점심 Lunch 12:00-13:00 (L.O.)

저녁 Dinner 18:00-20:00 (L.O.)

■ 휴무일

ANNUAL AND WEEKLY CLOSING

설날, 추석, 일요일 휴무

Closed Lunar New Year, Korean Thanksgiving and Sunday

Kojima

12

TEL. 02-516-3672

강남구 도산대로67길 7, 지하 1층

B1F, 7 Dosan-Daero 67-gil, Gangnam-gu

www.dosaseoul.com

■ 가 격 PRICE

점심 Lunch

코스 Menu ₩₩₩

저녁 Dinner

코스 Menu ₩₩₩₩

■ 운영시간 OPENING HOURS

점심 Lunch 12:00-13:00 (L.O.)

저녁 Dinner 18:00-20:30 (L.O.)

■ 휴무일

ANNUAL AND WEEKLY CLOSING

설날, 추석, 일요일, 월요일 휴무

Closed Lunar New Year, Korean Thanksgiving, Sunday and Monday

도사
DOSA
이노베이티브 *Innovative*

'아키라 백'이라는 이름으로 널리 알려진 백승욱 셰프의 레스토랑 도사. '달인'의 의미가 느껴지는 레스토랑 이름에서 백 셰프의 자신감이 묻어난다. 미국에서는 일식으로 자신의 요리 세계를 펼쳐 보이고 있지만, 그의 서울 레스토랑에선 한식을 기반으로 한 현대적이고 창의적인 요리를 선보인다. 때문에 요리 하나하나에 한식의 풍미를 더하려는 셰프의 정성과 감각이 엿보인다. 무채색의 모던한 레스토랑 공간과 요리사들의 역동적인 모습이 훤히 들여다보이는 오픈 주방 풍경도 재미있는 요소다.

Chef Back Seung-wook's Dosa is dedicated to serving creative and modern cuisine that pays homage to his Korean roots. Although widely known in the United States for his classic Japanese cuisine and Akira Back moniker, his first Seoul restaurant showcases dishes that embrace the traditional flavors of Korea. The open kitchen, which offers a dynamic view of the chefs in action, makes the dining experience here that much more enjoyable.

Dosa

강남구 GANGNAM-GU

라미띠에
L'AMITIÉ

프렌치 *French*

2006년부터 '정성의 온기가 담긴 프렌치 퀴진'을 선보여온 장명식 셰프의 '라미띠에'가 청담동의 새로운 공간으로 이전했다. 자리는 바뀌었어도 라미띠에의 음식에서는 변함없는 안정감이 느껴진다. 촉촉하게 쪄낸 완도산 전복에 전복 내장 에스푸마와 향긋한 마늘 퓨레, 셀러리 피클을 곁들인 전복 요리, 그리고 샤프란 향이 매력적인 리소토에 빵가루를 입혀 바삭하게 튀겨낸 아란치니는 라미띠에의 요리가 가진 특징을 잘 보여주는 시그니처 메뉴다. 오랜 시간이 흘러도 한결같은 장명식 셰프의 열정을 라미띠에의 요리에서 경험해 보기를 바란다.

Since 2006, Chef Jang Myoung-sik has welcomed diners with his consistently warm and comforting French cuisine. At this new location, Jang continues to serve up his passion for French cooking on a plate. Signature dishes include steamed Wando abalone served with abalone intestine espuma, fragrant garlic purée and pickled celery as well as crispy saffron arancini.

12

TEL. 02-546-9621

강남구 도산대로67길 30, 2층

2F, 30 Dosan-daero 67-gil, Gangnam-gu

■ 가 격 PRICE

점심 Lunch

코스 Menu ₩₩₩

저녁 Dinner

코스 Menu ₩₩₩₩

■ 운영시간 OPENING HOURS

점심 Lunch 12:00-13:30 (L.O.)

저녁 Dinner 18:00-20:30 (L.O.)

■ 휴무일

ANNUAL AND WEEKLY CLOSING

설날, 추석, 일요일 휴무

Closed Lunar New Year, Korean Thanksgiving and Sunday

10

TEL. 02-515-8088

강남구 학동로 53길 20

20 Hakdong-ro 53-gil, Gangnam-gu

■ 가격 PRICE

점심 Lunch

코스 Menu ₩₩₩

저녁 Dinner

코스 Menu ₩₩₩₩

■ 운영시간 OPENING HOURS

점심 Lunch 12:00 - 13:30 (L.O.)

저녁 Dinner 18:00 - 20:00 (L.O.)

■ 휴무일

ANNUAL AND WEEKLY CLOSING

설날, 추석, 일요일, 월요일 휴무

Closed Lunar New Year, Korean Thanksgiving, Sunday and Monday

묘미 N

MYOMI

코리안 컨템퍼러리 *Korean contemporary*

유랑을 하듯 다양한 경험을 쌓아온 장진모 셰프의 모던 한식 다이닝을 만날 수 있는 공간. 장진모 셰프는 자신의 개성과 창의성에 새로운 영감까지 더해 한층 날카롭고 감각적인 풍미의 음식 조합으로 하나둘 이야기를 풀어낸다. 요리에 대한 뚜렷한 주관을 바탕으로 평범함 속에서 새로움을 찾아내려는 셰프의 노력이 돋보이는 곳. 정체함 없이 전진하는 그의 발걸음을 기대해 본다.

Chef Jang Jin-mo has spent the last few years adding to his résumé a broad range of experiences that inspire the modern Korean cuisine offered at Myomi. The name of the restaurant, which means "peculiar beauty," is a nod to his quest to discover the extraordinary in the ordinary. His sharp attention to the chemistry of flavors and his creativity are evident in the dishes, woven together to tell a story of seasonings and ingredients, as well as his own personal journey.

무오키
MUOKI
이노베이티브 *Innovative*

남아프리카 공화국 방언으로 '참나무'를 뜻하는 '무오키'는 박무현 셰프의 우직한 성격을 그대로 반영한 곳이다. 세계 다양한 지역에서 요리 경험을 쌓은 박 셰프는 본인만의 스타일을 녹여낸 음식을 제공하고자 이곳을 오픈했다. 새로운 조리법으로 뻔하지 않은 맛과 질감의 조화를 표현해내는 것을 즐기는 그의 메뉴엔 재료에 대한 깊은 이해 없인 만들 수 없는 재미있는 요리들이 포함되어 있다. 7가지 방법으로 조리한 토마토, 5가지 방식으로 만든 당근 디저트, 그리고 제주식 갈치 호박국을 자신만의 방식으로 재해석한 요리 등이 그러한 예다. 그의 요리 세계가 궁금하다면 예약 후 들러볼 것.

South African dialect for "oak tree," "Muoki" is Chef Park Moo-hyun's restaurant. The name is a nod to the chef's cosmopolitan background as well as his straightforward attitude when it comes to cooking. Park has a knack for incorporating new cooking methods into creating a mélange of unpredictable flavors and textures. Tomatoes seven ways, five different kinds of carrot-based desserts, and his take on Jeju-style hairtail and pumpkin soup are good examples of his creativity and insight. Be sure to book ahead.

6

TEL. 010-2948-4171

강남구 학동로 55길 12-12, 2층

2F, 12-12 Hakdong-ro 55-gil, Gangnam-gu

www.muoki.kr

■ 가격 PRICE

점심 Lunch
코스 Menu ₩₩₩

저녁 Dinner
코스 Menu ₩₩₩₩

■ 운영시간 OPENING HOURS

점심 Lunch 12:00-13:30 (L.O.)
저녁 Dinner 18:00-20:00 (L.O.)

■ 휴무일
ANNUAL AND WEEKLY CLOSING
설날, 추석, 일요일 휴무
Closed Lunar New Year, Korean Thanksgiving and Sunday

Muoki

보트르 메종 N
VOTRE MAISON
프렌치 *French*

TEL. 02-549-3800

강남구 도산대로 420, 2층

2F, 420 Dosan-daero, Gangnam-gu

■ 가 격 PRICE

점심 Lunch

코스 Menu ₩₩₩

저녁 Dinner

코스 Menu ₩₩₩₩

■ 운영시간 OPENING HOURS

점심 Lunch 12:00 - 13:30 (L.O.)

저녁 Dinner 18:00 - 20:00 (L.O.)

■ 휴무일

ANNUAL AND WEEKLY CLOSING

설날, 추석, 월요일, 화요일 점심 휴무

Closed Lunar New Year, Korean Thanksgiving, Monday and Tuesday Lunch

유행에 흔들림 없이 묵묵히 한길만 걸어온 박민재 셰프의 '보트르 메종'. 모든 것이 빠르게 변하는 시대에 언제 찾아도 한결같은 프렌치 요리를 즐길 수 있을 것 같은 신뢰를 주는 레스토랑이다. 박민재 셰프는 고객의 소중한 시간과 돈을 가볍게 여기지 않는 마음가짐에서 좋은 음식이 만들어진다고 믿는다. 그래서인지 '보트르 메종'에서는 시작부터 마무리까지 기본에 충실하면서도 차분한 흐름의 코스 요리를 경험할 수 있다. 우아한 다이닝 공간, 우직한 셰프의 신념이 담긴 프렌치 요리, 여기에 편안한 서비스까지 즐길 수 있는 곳이다.

In a rapidly changing city like Seoul where constancy can be elusive, it is a breath of fresh air when a chef is unfazed by the latest trends and remains true to what he believes in. French restaurant Votre Maison — French for "your home" — gives diners the kind of faith that certain things do remain constant. For Chef Park Min-jae, a veteran in Seoul's French culinary scene, the time and money customers invest to come and taste his food is valuable. Park believes that this is the most important mindset a chef must have. Come for the classic French food as well as the warm service.

Votre Maison

에빗 Ⓝ

EVETT

이노베이티브 *Innovative*

전 세계를 유랑하며 식재료를 탐구하고 요리와 팝업 경험을 쌓아온 호주 출신 요리사가 선보이는 한식의 맛은 어떨까? 한국의 식재료에 매료되어 서울에 정착했다는 조셉 리저우드 셰프에게 흔하고 식상한 재료란 존재하지 않는다. 한국인에게 익숙한 우렁이를 퓌레처럼 부드럽게 갈아 크림소스와 함께 깻잎에 올려 내는 '우렁이'나 직접 채취한 야생 버섯으로 만든 아이스크림 등 '에빗'의 메뉴는 리저우드만의 색다른 시각으로 재해석된 창의적인 요리로 가득하다. 식재료의 조리법에 대한 고정관념에서 벗어나고자 노력한다는 그의 요리는 정교하게 구성된 전통주 페어링과 함께할 때 더욱더 빛을 발한다.

After years of traveling, researching and cooking, Australian native Joseph Lidgerwood settled in Seoul and opened Evett. His fascination with local ingredients serves as the main inspiration behind the inventive offerings. Take, for example, the dish "Freshwater Snails," which consists of local freshwater snails blended to a purée-like consistency served atop a perilla leaf with cream sauce and custard made of wild mushrooms he foraged himself. Lidgerwood constantly pushes the boundaries of how a given ingredient should be cooked and further elevates the dining experience with traditional liquor pairings.

TEL. 070-4231-1022

강남구 도곡로 23길 33

33 Dogok-ro 23-gil, Gangnam-gu

www.restaurantevett.com

■ 가 격 PRICE

점심 Lunch
코스 Menu ₩₩₩

저녁 Dinner
코스 Menu ₩₩₩₩

■ 운영시간 OPENING HOURS

점심 Lunch 12:00-13:30 (L.O.)
저녁 Dinner 18:00-20:30 (L.O.)

■ 휴무일
ANNUAL AND WEEKLY CLOSING

일요일, 월요일 & 화, 수, 목, 금요일 점심 휴무
Closed Sunday, Monday and Tuesday, Wednesday, Thursday, Friday Lunch

TEL. 02-542-6921

강남구 삼성로 140길 6

6 Samseong-ro 140-gil, Gangnam-gu

■ 가 격 PRICE

점심 Lunch

코스 Menu ₩₩₩

저녁 Dinner

코스 Menu ₩₩₩₩

■ 운영시간 OPENING HOURS

점심 Lunch 12:00-13:30 (L.O.)

저녁 Dinner 18:00-20:00 (L.O.)

■ 휴무일

ANNUAL AND WEEKLY CLOSING

1월 1일, 설날, 추석 휴무

Closed 1st January, Lunar New Year and Korean Thanksgiving

익스퀴진
EXQUISINE

이노베이티브 *Innovative*

장경원 셰프의 익스퀴진. 최대한 한국적인 재료를 사용하고 재료 각각의 개성에 초점을 맞춰 새로운 한식의 맛을 창조하고자 하는 셰프의 실험 정신이 그의 요리에 그대로 묻어난다. 레스토랑 내에서 직접 재배한 허브와 산지 직거래로 공급받는 싱싱한 재료로 만든 음식을 합리적인 가격에 제공한다. 점심 코스 메뉴와 저녁 코스 메뉴가 한 가지씩 준비되어 있고, 식재료나 주방 사정에 따라 메뉴가 수시로 변경된다. 공간이 아담한 만큼 예약은 필수다.

Chef Jang Kyung-won at Exquisine has a knack for reinventing Korean flavors. His creativity is driven by his knowledge of local ingredients and understanding of the balance between each component, which leads to dishes that are ultimately his own invention. The restaurant offers a single course menu for lunch and dinner that changes frequently depending on the availability of ingredients. The fresh herbs are from the restaurant's garden. The space is small so make sure you call ahead to reserve a table.

Exquisine

게방식당
GEBANGSIKDANG

게장 *Gejang*

흡사 소담한 카페테리아나 베이커리를 연상시키는 외관과는 달리 이곳은 게장 전문점이다. 패션 마케터 방건혁 대표와 25년간 게장 전문점을 운영해온 부모님의 합작으로 탄생한 게방식당에선 게장이라는 한식 메뉴를 보다 다양한 고객층에게 선보이고자 노력한다. 이곳엔 간장게장과 양념게장 세트뿐만 아니라 좀 더 먹기 수월한 게알 백반, 전복장 백반, 새우장 백반까지 다양한 메뉴가 준비되어 있다. 세트에는 기본적으로 밥과 국, 기본 반찬을 함께 제공하며, 테이크아웃도 가능하다.

Soy sauce-marinated crab and stylish décor don't always go hand in hand, but at Gebangsikdang, they do. A collaboration between fashion marketer Bang Geon-hyuk and his parents, veterans of the soy sauce marinated crab restaurant business, Gebang-sikdang caters to a trend-conscious crowd with its polished interior and its wide selection of raw crab dishes. For those who find it bothersome to eat crab on the shell, there are options that come with just the flesh and crab roe on a mound of hot rice.

TEL. 010-8479-1107

강남구 선릉로 131길 17

17 Seolleung-ro 131-gil, Gangnam-gu

■ 가격 PRICE

단품 Carte ₩ - ₩₩

■ 운영시간 OPENING HOURS

점심 Lunch 11:30-14:50 (L.O.)

저녁 Dinner 17:30-21:00 (L.O.)

■ 휴무일

ANNUAL AND WEEKLY CLOSING

1월 1일, 5월 5일, 12월 25일, 설날, 추석, 석가탄신일, 일요일 휴무

Closed 1st January, 5th May, 25th December, Lunar New Year, Korean Thanksgiving, Buddha's Birthday and Sunday

Gebang Sikdang

만두집
MANDUJIP
만두 *Mandu*

TEL. 02-544-3710

강남구 압구정로 338

338 Apgujeong-ro, Gangnam-gu

■ 가 격 PRICE

단품 Carte ₩ - ₩₩₩

■ 운영시간 OPENING HOURS

점심 Lunch 12:00-15:30

저녁 Dinner 17:30-21:30

■ 휴무일
ANNUAL AND WEEKLY CLOSING

1월 1일, 설날, 추석, 일요일 휴무

Closed 1st January, Lunar New Year, Korean Thanksgiving and Sunday

고급 레스토랑이 즐비한 청담동 근방에서 30년 동안 만두 하나로 외길을 걸어온 만두집. 소박하고 정갈한 평안도 스타일의 만둣국이 이 집의 대표 메뉴로, 레스토랑의 내부 또한 아담하고 깔끔하다. 돌아가신 어머니의 가업을 계승한 현 대표는 많은 이들의 사랑을 받았던 어머니의 손맛을 묵묵히 지켜내고 있다. 정성 들여 빚은 이곳의 만둣국은 깔끔하면서도 감칠맛 나는 양지머리를 삶은 육수에 매콤한 양념을 얹어 내므로 혹 매운맛을 선호하지 않는다면 주문 시 양념을 빼달라고 부탁하면 된다.

Located in a trendsetting part of the city dominated by state-of-the-art fashion, this restaurant has stood its ground for 30 years with a humble dish that has wooed the palates of countless people — dumpling soup. Mandujip specializes in Pyeongan-do-style dumplings, filled with minced beef, bean curd, mung bean sprouts, green onions and sesame oil. Each order comes with six large dumplings in a clear, flavorful beef broth made with chunks of brisket.

Michelin

미미 면가
MIMI MYEONGA

소바 *Soba*

재치 있는 소바 요리로 손님들의 발길이 끊이지 않는 미미 면가. 이곳의 메밀 면은 쫄깃한 식감을 자랑하는데, 메밀 함량 3할이라는 파격적인 비율 덕분이다. 그럼에도 불구하고 메밀의 구수한 풍미가 살아 있는 것을 보면 장승우 셰프의 노력과 고민의 흔적이 엿보인다. 이곳은 기본이 탄탄한 자루소바 외에도 형식에 구애받지 않는 다양한 메뉴가 인상적이다. 국수 한 그릇의 온도, 국물과 고명에 따라 각각의 개성이 뚜렷한 소바 요리를 즐기고 싶다면 미미 면가로 향하자.

Mimi Myeonga is a local favorite, sought after by lovers of buckwheat noodles. Made in-house with an unconventional ratio of only three parts buckwheat, Chef Jang Seung-woo's noodles have an undeniably chewy texture, while still maintaining the subtle nutty fragrance of buckwheat. There is something for everyone on the menu; in addition to the basic zaru soba, customers can choose from a list of soba dishes that are served hot or cold, featuring different broths and toppings that always hit the spot.

TEL. 070-4211-5466

강남구 강남대로 160길 29

29 Gangnam-daero 160-gil, Gangnam-gu

■ 가 격 PRICE

단품 Carte ₩ - ₩₩

■ 운영시간 OPENING HOURS

점심 Lunch 11:30-14:30 (L.O.)
저녁 Dinner 17:30-21:00 (L.O.)

■ 휴무일
ANNUAL AND WEEKLY CLOSING

1월 1일, 설날, 추석, 일요일 점심 휴무
Closed 1st January, Lunar New Year, Korean Thanksgiving and Sunday Lunch

강남구 GANGNAM-GU

Mimi Myeonga

산동 교자관
SANDONG GYOJAKWAN

중식 *Chinese*

TEL. 02-514-2608

강남구 압구정로 214

214 Apgujeong-ro, Gangnam-gu

■ 가격 PRICE

점심 Lunch
단품 Carte ₩

저녁 Dinner
단품 Carte ₩₩ - ₩₩₩₩

■ 운영시간 OPENING HOURS

점심 Lunch 12:00-13:30 (L.O.)
저녁 Dinner 17:30-21:00 (L.O.)

■ 휴무일
ANNUAL AND WEEKLY CLOSING

1월 1일, 설날, 추석, 일요일 휴무
Closed 1st January, Lunar New Year, Korean Thanksgiving and Sunday

화교 출신의 단병호 셰프가 운영하는 산동 교자관은 압구정동에 위치한 중국식 수제 만두 전문점이다. 열 살 때부터 부모님께 만두 비법을 전수받았다는 단 셰프는 매일 직접 반죽해 만든 피로 정성껏 만두를 빚는다. 물만두와 찐만두의 경우 피 두께에서 차이가 나는데, 이는 식감에 차별화를 두기 위해서라고 한다. 이곳에서 선보이는 물만두가 들어간 사천 훈둔탕은 간결하면서도 깊은 맛을 자랑하며, 오향장육과 XO 새우, 전가복 같은 요리도 맛볼 수 있다. 테이블 4개가 전부인 이곳의 식사 메뉴는 점심시간에만 주문이 가능하다.

Sandong Gyojakwan is helmed by Chinese-Korean Chef Dan Byeong-ho who learned the art of dumpling making from his parents at the tender age of ten. His restaurant specializes in Chinese-style dumplings, prepared from scratch, daily, from the wrappers to the filling. Boiled and steamed dumplings each offer a different texture, due to the difference in the thickness of the skin. Other items on the menu include Korean-Chinese staples like five-spice pork salad, XO shrimp and stir-fried assorted delicacies. Seating is limited to four tables.

소이연남마오 N
SOI MAO
타이 Thai

'소이연남마오'는 태국 음식 전문점 '소이연남'에서 운영하는 또 다른 음식점이다. '취하다'를 뜻하는 태국어 '마오'를 붙여 내추럴 와인을 즐길 수 있는 차별화된 공간이라는 점을 부각시켰다. 1층에서는 면과 쌀 요리 등 간단한 식사 주문이 가능하고, 2층에서는 와인과 함께 곁들일 수 있는 다양한 요리를 만날 수 있다. 태국 특유의 강렬한 맛과 향이 와인과 잘 어울릴까 의구심이 들 수도 있겠지만, 감칠맛과 산미가 두드러지는 내추럴 와인은 개성 강한 태국 음식과 좋은 궁합을 이룬다. 숯불의 풍미가 매력적인 부드러운 닭꼬치, 매콤달콤 항정살 구이, 속을 알차게 채워 바삭하게 튀겨 낸 태국식 춘권 뽀삐아, 똠얌 누들 등이 인기 메뉴다.

Thai cuisine meets natural wine at this new location of Soi Yeonnam. The word "mao" is Thai for "inebriated," a nod to the restaurant's focus on natural wine. The first floor offers a simplified menu, while the second floor offers a more extensive list of dishes, intended to be enjoyed with wine. Bestsellers include the sweet and spicy grilled pork shoulder, crispy Thai spring rolls and tom yum noodles. The supremely aromatic and pungent nature of Thai cuisine and the flavor carnival of natural wines prove to be surprisingly complementary.

8

TEL. 02-545-5130

강남구 도산대로53길 30

30 Dosan-daero 53-gil, Gangnam-gu

■ 가격 PRICE

단품 Carte ₩ - ₩₩

■ 운영시간 OPENING HOURS

점심 Lunch 11:30-15:00 (L.O.)

저녁 Dinner 18:00-01:00 (L.O.)

■ 휴무일

ANNUAL AND WEEKLY CLOSING

설날, 추석 휴무

Closed Lunar New Year and Korean Thanksgiving

강남구 GANGNAM-GU

Soi Mao

오통영
OH TONGYOUNG

한식 *Korean*

⊙10 ☼

TEL. 02-544-2377

강남구 선릉로 158길 10, 지하 1층

B1F, 10 Seolleung-ro 158-gil, Gangnam-gu

■ 가 격 PRICE

점심 Lunch

단품 Carte ₩ - ₩₩

저녁 Dinner

단품 Carte ₩₩ - ₩₩₩

■ 운영시간 OPENING HOURS

점심 Lunch 11:30-14:30 (L.O.)

저녁 Dinner 17:00-21:50 (L.O.)

일요일 Sunday 17:00-20:50 (L.O.)

■ 휴무일

ANNUAL AND WEEKLY CLOSING

1월 1일, 설날, 추석 휴무

Closed 1st January, Lunar New Year and Korean Thanksgiving

통영에서 먹은 충무김밥과 멍게 비빔밥에서 영감을 얻어 가게를 오픈했다는 오통영은 그 이름에서 알 수 있듯 부부 대표의 남해 통영 음식에 대한 오마주라 할 수 있다. '오'는 바다 내음을 가득 품고 있는 통영 음식에 대한 감탄사라고. 겉치레 없고 깔끔한 실내 공간은 자연의 맛을 최대한 살린 오통영의 대표 요리들과 잘 어울린다. 이 집의 대표 메뉴는 성게 비빔밥과 멍게 비빔밥, 그리고 이즈니 무염 버터와 함께 내오는 전복 무쇠솥 밥이다. 이곳에 방문하면 서울에서 남해 통영 전통의 맛을 만끽할 수 있다.

The name of the restaurant is an homage to the cuisine from Tongyoung, a coastal city in the Southern part of Korea, famed for its abundance of fresh seafood. The modest space, located in Seoul's luxury fashion district, has a post-industrial feel with grey cement floors, metallic furniture and AC pipes on the ceiling. The food is fresh, simply prepared and tasty. Specialties include sea urchin bibimbap and abalone rice cooked in a cast-iron pot.

Oh Tongyoung

진미 평양냉면
JINMI PYEONGYANG NAENGMYEON

냉면 *Naengmyeon*

"유명 평양냉면 식당에서 쌓은 20년의 경험과 노력의 결과물이 바로 진미 평양냉면"이라 말하는 임세권 셰프. 고객이 만족할 만큼 맛있는 냉면을 만드는 것이 그의 첫 번째 목표이고, 언제 찾아도 한결같은 맛을 즐길 수 있게 일관성을 유지하는 것이 두 번째 목표라고 한다. 다른 어떠한 요소 없이 오직 맛으로만 승부하고 싶다는 그의 마음가짐에서 20년 냉면 장인의 고집스러움이 느껴진다. 냉면 외에도 편육, 제육, 불고기 같은 냉면집 단골 메뉴를 비롯해 접시 만두와 어복쟁반, 온면도 맛볼 수 있다.

According to owner and chef Yim Se-kwon, 20 years of experience in the kitchens of one of the most iconic Pyeongyang cold buckwheat noodle restaurants is the secret to the success of this place. The menu here is what you would expect to see in a typical cold buckwheat noodle restaurant. Other than the noodles, it offers staples such as boiled pork and beef slices, bulgogi, dumplings and Pyeongyang-style beef hot pot.

TEL. 02-515-3469

강남구 학동로 305-3

305-3 Hakdong-ro, Gangnam-gu

■ 가격 PRICE

단품 Carte ₩ - ₩₩₩

■ 운영시간 OPENING HOURS

11:00-21:10 (L.O.)

■ 휴무일
ANNUAL AND WEEKLY CLOSING

설날, 추석 휴무

Closed Lunar New Year and Korean Thanksgiving

20

TEL. 02-508-0476

강남구 삼성로81길 30

30 Samseong-ro 81-gil, Gangnam-gu

■ 가격 PRICE

단품 Carte ₩ - ₩₩

■ 운영시간 OPENING HOURS

11:40-21:30 (L.O.)

■ 휴무일

ANNUAL AND WEEKLY CLOSING

설날, 추석 휴무

Closed Lunar New Year and Korean Thanksgiving

피양콩 할마니
PIYANGKONG HALMANI

두부 *Dubu*

평양 출신의 할머니가 수십 년간 운영해온 비지 전문점 피양콩 할마니. 두부를 빼지 않은 되비지를 맛볼 수 있는 곳으로, '피양'은 평안도 사투리로 '평양'을 의미한다. 딸과 함께 운영하는 이곳에선 맷돌로 직접 간 콩만을 사용하며, 일체의 조미료를 넣지 않은 건강식을 선보인다. 콩비지와 피양 만두가 이곳의 대표 메뉴지만, 할머니가 옛날 방식을 고수하며 만들어내는 비지전골 또한 이 집의 역사를 느낄 수 있는 특별한 메뉴다. 반찬은 손님들이 먹고 싶은 만큼 덜어 먹을 수 있게 준비돼 있다.

This long-standing restaurant has thrived for decades serving kongbiji, a hearty peasant stew made from puréed soybeans. The founding matriarch of the establishment is still very much present, cooking alongside her daughter to this day. The soybean stew here is made with soybeans ground to a smooth paste in a traditional stone grinder, resulting in a stew that is creamy and nutty. The self-serve side dishes that come in small pots are always generous.

한일관
HANILKWAN

한식 *Korean*

서울에서 오랜 세월 명맥을 유지해온 전통 한식 레스토랑의 대명사 한일관. 1939년 청진동에 개업한 후 2007년 피맛골 재개발 당시 지금의 신사동 자리로 이전 오픈했다. 각종 구이류를 비롯해 구절판, 탕평채, 신선로 등 정통 궁중 요리에 기반을 둔 이곳에선 고급스럽고 정갈한 서울 음식을 맛볼 수 있다. 신사동 본점 외에 여러 곳의 분점을 운영하고 있다. 대표 메뉴로는 궁중 비빔밥, 불고기, 냉면 등이 있으며, 쾌적한 분위기에서 정갈한 한식을 즐기기에 안성맞춤인 곳이다.

Few restaurants in Seoul can claim the same kind of longevity and history that Hanilkwan can. Since 1939, the restaurant has been honoring the traditions of Seoul-style food, rooted in Korean royal court cuisine. The food stays true to the flavors Koreans know well, with its elegantly presented offerings of perennial favorites like bulgogi, bibimbap, savory pancakes and cold buckwheat noodles. Hanilkwan operates other locations in Seoul in addition to its original spot in Sinsa-dong.

60

TEL. 02-732-3735

강남구 압구정로38길 14

14 Apgujeong-ro 38-gil, Gangnam-gu

www.hanilkwan.co.kr

■ 가격 PRICE

코스 Menu ₩₩ - ₩₩₩

단품 Carte ₩ - ₩₩

■ 운영시간 OPENING HOURS

11:30-21:00 (L.O.)

■ 휴무일

ANNUAL AND WEEKLY CLOSING

설날, 추석 휴무

Closed Lunar New Year and Korean Thanksgiving

강남구 GANGNAM-GU

현우동 N
HYUN UDON
우동 *Udon*

TEL. 02-515-3622

강남구 논현로 149길 53

53 Nonhyeon-ro 149-gil, Gangnam-gu

■ 가 격 PRICE

단품 Carte ₩

■ 운영시간 OPENING HOURS

점심 **Lunch** 11:30-14:30 (L.O.)

저녁 **Dinner** 17:30-21:30 (L.O.)

■ 휴무일

ANNUAL AND WEEKLY CLOSING

설날, 추석, 일요일 휴무

Closed Lunar New Year, Korean Thanksgiving and Sunday

삼전동 시절 이미 유명세를 떨쳤던 우동의 달인 박상현 셰프의 논현동 우동 전문점 겸 제면소. 통통한 우동 면발을 한입 가득 베어 물면 매끈하면서도 탄력 있는 사리의 기분 좋은 식감과 씹을수록 은은하게 퍼지는 단맛을 동시에 즐길 수 있다. '현우동'의 대표 메뉴는 '덴푸라 붓카케' 우동이다. 굵직하고 탱탱한 면발과 갓 튀겨 낸 바삭하고 폭신한 튀김이 감칠맛 가득하면서도 섬세한 쯔유와 절묘한 조화를 이룬다.

Chef Park Sang-hyeon is a well-respected master of the udon craft. At his new Nonhyeon-dong location, Park continues to serve up bowls of thick, silky-smooth, home-made udon noodles with their characteristic firmness and elasticity. If you're unsure of what to order, go for his signature tempura bukkake udon. The plump bouncy noodles and the freshly fried light crispy tempura make for a delicious mouthful when dipped in the umami-rich tsuyu sauce.

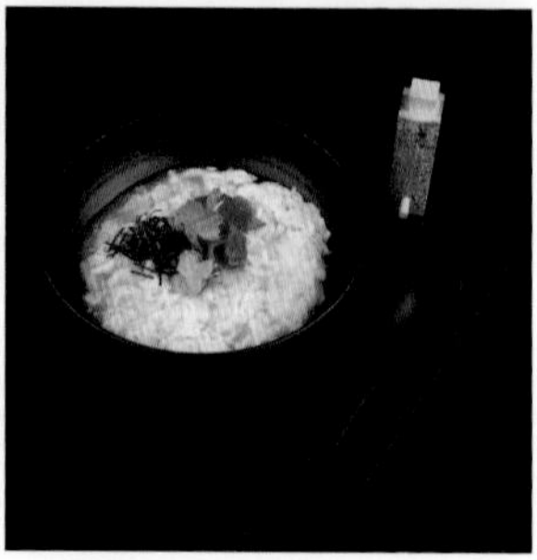

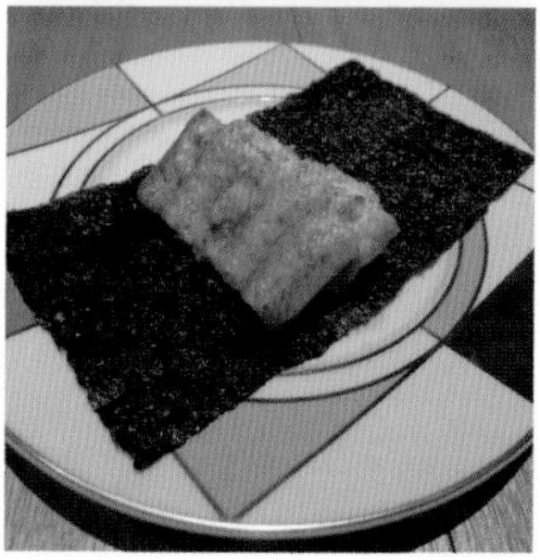

고료리 켄
GORYORI KEN

일식 *Japanese*

요리에 매진하는 셰프의 움직임 하나하나를 지켜볼 수 있는 여덟 석의 한정된 공간. 김건 셰프는 이 새로운 공간에서 고료리 켄의 2막을 열었다. 직접 발로 뛰어 선별한 신선한 재료에 창의적인 아이디어와 현대적인 조리법이 더해진 김건 셰프의 일식 오마카세 요리에는 고료리 켄이 꾸준히 지향해온 정체성이 담겨 있다. 늘 신선한 양질의 재료를 고객에게 제공하기 위해 모든 재료를 당일 소진한다는 셰프의 원칙에서 신뢰감을 느낄 수 있다. 한결같은 맛과 정성이 손님을 맞는 기본 자세라고 생각하는 김건 셰프, 그의 요리를 즐기기 위해 예약은 필수이다.

This intimate setting, with the main bar seating only eight, allows patrons to watch the chef's every movement. The eponymous restaurant has opened its second chapter in a new location. While preserving its unassuming façade on the second floor of the premises, Chef Kim Geon showcases highly seasonal ingredients in creations inspired by the freshness of the produce and his own creative intuition. Consistency and care are things Kim takes very seriously when serving his customers. The drinks menu features an impressive variety of sake produced by small Japanese breweries.

TEL. 02-511-7809

강남구 언주로 152길 15-3, 2층

2F, 15-3 Eonju-ro 152-gil, Gangnam-gu

■ 가격 PRICE

저녁 Dinner

코스 Menu ₩₩₩₩

■ 운영시간 OPENING HOURS

저녁 Dinner 18:00-21:00 (L.O.)

■ 휴무일
ANNUAL AND WEEKLY CLOSING

설날, 추석, 일요일, 월요일 휴무
Closed Lunar New Year, Korean Thanksgiving, Sunday and Monday

TEL. 02-511-0068

강남구 영동대로 115길 10

10 Yeongdong-daero 115-gil, Gangnam-gu

www.gbw.co.kr

■ 가 격 PRICE

단품 Carte ₩ - ₩₩₩

■ 운영시간 OPENING HOURS

11:00-22:30 (L.O.)

곰바위

GOM BA WIE

바비큐 *Barbecue*

1983년, 삼성동 봉은사 인근에 소규모로 시작한 곰바위는 질 좋은 한우의 양과 대창구이를 전문으로 하는 곳이다. 현재는 본관 뒤편에 3층 규모의 신관이 자리하고 있어 레스토랑의 과거와 현재 모습을 한눈에 알 수 있다. 고소한 풍미와 쫄깃한 식감이 별미인 특양구이와 대창구이 외에도 꽃등심, 갈비, 차돌박이 등 다양한 부위의 한우를 함께 맛볼 수 있다. 수작업으로 정성스레 손질한 양과 대창은 참숯에 구워 깊은 풍미를 지니고 있다. 내부는 늘 분주하지만 깔끔하고 기능적인 것이 특징이다.

Grilled tripe and large intestines reign supreme at Gom Ba Wie, which has seen three decades of customers hooked on their buttery, pleasantly chewy goodness. The original location and the new location stand back to back, offering a glimpse of the restaurant's past and present. If beef intestines aren't your cup of tea, the restaurant also offers other cuts like ribeye, short ribs and brisket. All meats are grilled over wood charcoal.

구전 동화 N
GUJEON DONGHWA
바비큐 *Barbecue*

간판이 없는 한우 바비큐 요리 전문점 '구전 동화'는 일식을 두루 섭렵한 박준형 셰프가 고급 한우 요리를 경쟁력 있는 가격에 제공하는 곳이다. 대중에게 친숙한 한국식 바비큐가 일식 및 한식 요리와 잘 어우러져 한우의 매력을 한껏 음미할 수 있는 곳이다. 조용한 바에 온 것 같은 분위기의 은은한 조명 아래에서 특색 있는 한우 바비큐를 만나 보자.

Gujeon Donghwa is not your typical Korean beef barbecue restaurant. Trained in Japanese cuisine, Chef Park Jun-hyeong strives to bring the best of both worlds — Korean barbecue and Japanese-inspired bites — to the table, with Korean beef taking center stage. Aware of the hefty price a prime cut of Korean beef can fetch, Park makes the dining experience even more attractive by offering this premium ingredient at a price that won't break the bank. The restaurant comes with a modern décor and cozily lit ambience.

7

TEL. 010-2038-9961

강남구 압구정로 46길 26, 2층

2F, 26 Apgujeong-ro 46-gil, Gangnam-gu

■ 가 격 PRICE

저녁 Dinner

코스 Menu ₩₩₩₩

■ 운영시간 OPENING HOURS

저녁 Dinner 18:00 - 20:30 (L.O.)

■ 휴무일

ANNUAL AND WEEKLY CLOSING

1월 1일, 12월 25일, 설날, 추석, 일요일 휴무

Closed 1st January, 25th December, Lunar New Year, Korean Thanksgiving and Sunday

달 식탁
DAL SIKTAK

한식 *Korean*

순창의 장 명인을 어머니로 둔 유지영 대표가 운영하는 달 식탁은 입구에서부터 몽환적인 분위기를 자아내는, 모던하지만 전통의 맛을 고집하는 한식 전문점이다. 이곳에선 어머니가 직접 담근 고추장과 된장만을 사용하고, 식전 애피타이저로 내오는 부각도 어머니의 이웃 명인 집에서 공급받는다고 한다. 자극적이지 않은 깊은 맛을 느끼고 싶은 동시에 세련되고 트렌디한 공간에서 한 끼 식사를 하고 싶다면 달 식탁이 답이다.

Aerial lights and a Marcel Wanders horse lamp statue make a bold impression from the moment you walk in. The interior is modern, but the restaurant specializes in traditional Korean flavors. The owner's mother is a traditional sauce artisan from Sunchang who provides the restaurant with all of the fermented condiments, including red chili paste and soybean paste. The food here is uncomplicated and delicately seasoned, ideal for diners looking for healthy, good-quality food in a modern and offbeat setting.

20

TEL. 02-511-9440

강남구 도산대로 15길 11, 지하 1층

B1F, 11 Dosan-daero 15-gil, Gangnam-gu

■ 가 격 PRICE

코스 Menu ₩₩ - ₩₩₩

단품 Carte ₩ - ₩₩₩

■ 운영시간 OPENING HOURS

점심 Lunch 11:30-14:00 (L.O.)

저녁 Dinner 17:30-21:30 (L.O.)

더 그린테이블
THE GREEN TABLE

프렌치 컨템퍼러리 *French contemporary*

2016년 10월 서래마을에서 압구정 로데오 근방으로 이전한 김은희 셰프의 더 그린테이블은 프렌치에 기반을 둔 요리를 전문으로 하지만 한국의 제철 식재료를 이용한 계절 메뉴를 선보이고 있다. 틈틈이 <동의보감>을 들여다보며 요리에 대한 영감을 얻는다는 김 셰프는 육송이나 고들빼기처럼 맛과 향이 독특한 전통 약재를 프렌치 조리법에 접목시켜 본인만의 이색적인 요리를 창조해낸다. 단삼의 쌉싸래한 맛을 버터의 고소함으로 중화시켜 생선 요리의 소스로 활용하는 등 그녀의 톡톡 튀는 창의력이 돋보인다.

Red pine needles and bitter lettuce are common ingredients in traditional Korean medicine, but unheard of in French cuisine — that is, unless one is dining at The Green Table. Let's just say Chef Kim Eun-hee likes to put her own spin on things. Using classic French techniques, Kim makes the local and seasonal ingredients she uses the stars of the show. As unorthodox as it may sound, her use of Chinese sage — a bitter medicinal herb — with butter as an ingredient for the sauce she serves with fish actually works.

6

TEL. 02-591-2672

강남구 선릉로 155길 13, 2층

2F, 13 Seolleung-ro 155-gil, Gangnam-gu

www.thegreentable.co.kr

■ 가격 PRICE

점심 Lunch

코스 Menu ₩₩₩ - ₩₩₩₩₩

저녁 Dinner

코스 Menu ₩₩₩₩ - ₩₩₩₩₩

■ 운영시간 OPENING HOURS

점심 Lunch 12:00-13:45 (L.O.)

저녁 Dinner 18:00-19:45 (L.O.)

■ 휴무일

ANNUAL AND WEEKLY CLOSING

설날, 추석, 일요일, 월요일 휴무

Closed Lunar New Year, Korean Thanksgiving, Sunday and Monday

TEL. 02-546-1489

강남구 압구정로77길 5

5 Apgujeong-ro 77-gil, Gangnam-gu

■ 가 격 PRICE

점심 Lunch

단품 Carte ₩₩₩

저녁 Dinner

단품 Carte ₩₩₩ - ₩₩₩₩

■ 운영시간 OPENING HOURS

점심 Lunch 12:00-13:30 (L.O.)

저녁 Dinner 18:00-21:30 (L.O.)

■ 휴무일

ANNUAL AND WEEKLY CLOSING

월요일 점심 휴무

Closed Monday Lunch

뚜또 베네
TUTTO BENE

이탤리언 *Italian*

청담동 안쪽에 담쟁이넝쿨과 빨간 차양 막의 외관이 눈길을 끄는. 이탈리아어로 '만사 쾌조'를 뜻하는 뚜또 베네는 강렬한 색감의 인테리어와 빈티지한 감성이 잘 어우러진 청담동의 대표적인 이탤리언 레스토랑이다. 이곳의 시그너처 메뉴는 로제 소스를 곁들인 라자냐. 소고기의 풍미가 살아 있는 진한 라구 소스와 밀가루와 달걀만으로 반죽한 면의 부드럽고 쫄깃한 식감이 일품이다. 세이지 버터에 볶은 생 타야린 면도 이곳의 자랑이다. 여기에 풍성한 와인 리스트까지 준비되어 있다.

This long-standing Italian establishment in the little alley of Cheongdam-dong, with its creeping ivy and crimson awning, is difficult to miss. Their signature dish is the lasagna which features an especially rich beef ragù and fresh noodles made with flour and eggs. Another must-try is the simply elegant tajarin tossed in sage butter, topped with a single egg yolk and grated Parmigiano Reggiano. The restaurant offers a good wine selection.

라이프 N
RIPE
바비큐 *Barbecue*

영화에서 나올 법한 철제 금고문, 그 문을 열면 '라이프'만의 독특한 다이닝 공간을 마주하게 된다. 높은 천장과 고급스러운 샹들리에, 금고를 연상시키는 대형 오브제와 모던한 느낌의 카운터석. 단번에 눈길을 사로잡는 이 독특한 공간에서 한식과 바비큐를 기반으로 한 김호윤 셰프의 현대적인 요리를 만나볼 수 있다. 제공되는 코스는 한 가지뿐이지만 그 안에서 셰프의 정성과 창의력이 묻어난 다양한 형태의 요리를 경험할 수 있다. 오픈 카운터석 외에도 다섯 개의 별실이 있어 손님들의 상황과 취향에 맞게 이용할 수 있다.

Eye-catching visual design elements welcome the guests at RIPE with its high ceilings, elegant chandeliers, modern bar seats and a large-scale object reminiscent of a metal safe. Chef Kim Ho-yoon showcases modern dishes based on Korean cuisine, with a focus on barbecue. Only one tasting menu is available, but it offers a great opportunity for diners to enjoy the care and creativity Chef Kim puts on the plate. The restaurant offers five private dining rooms in addition to the open counter seats.

P 20

TEL. 010-8715-1139

강남구 영동대로 96길 26, 9층

9F, 26 Yeongdong-daero 96-gil, Gangnam-gu

■ 가격 PRICE

저녁 Dinner

코스 Menu ₩₩₩₩₩

■ 운영시간 OPENING HOURS

저녁 Dinner 18:00 - 20:30 (L.O.)

■ 휴무일

ANNUAL AND WEEKLY CLOSING

1월 1일, 설날, 추석, 일요일 휴무

Closed 1st January, Lunar New Year, Korean Thanksgiving and Sunday

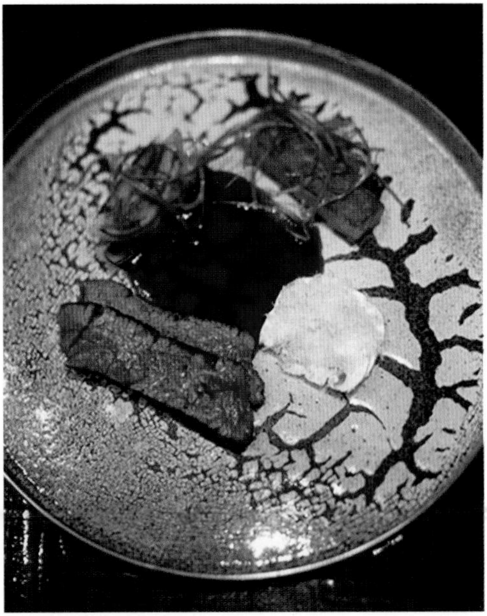

레스쁘아 뒤 이부
L'ESPOIR DU HIBOU

프렌치 *French*

TEL. 02-517-6034

강남구 도산대로 59길 16

16 Dosan-daero 59-gil, Gangnam-gu

■ 가격 PRICE

점심 Lunch
코스 Menu ₩₩₩
단품 Carte ₩₩₩ - ₩₩₩₩

저녁 Dinner
코스 Menu ₩₩₩ - ₩₩₩₩
단품 Carte ₩₩₩ - ₩₩₩₩

■ 운영시간 OPENING HOURS

점심 Lunch 12:00-14:00 (L.O.)
저녁 Dinner 18:00-21:00 (L.O.)

■ 휴무일
ANNUAL AND WEEKLY CLOSING

1월 1일, 설날, 추석 휴무
Closed 1st January, Lunar New Year and Korean Thanksgiving

정통 프렌치 비스트로인 레스쁘아 뒤 이부는 유행에 흔들리지 않는 클래식 프렌치 메뉴로 꾸준한 사랑을 받아왔다. 한결같이 진중한 음식을 선보여온 임기학 셰프는 테린과 파테 등 한국인들에겐 다소 생소한 프랑스 전통 숙성 육가공 제품도 직접 만들어 소개하고 있다. 오리 콩피와 양파 수프 역시 이곳을 대표하는 메뉴다. 프랑스에서 먹는 음식과 별다를 것 없는 프렌치 요리를 대접하고 싶다는 임 셰프. 날씨 좋은 계절엔 프랑스 분위기가 물씬 풍기는 아름다운 테라스에 앉을 것을 추천한다.

All of the elements at this bistro — from the food to the décor to the outdoor patio — fall into place to create an ambience that is immediately charming and oh so French! Consistency has been key to L'Espoir du Hibou's longevity, not least when it comes to food. Chef Lim Ki-hak makes traditional French charcuterie like terrines and pâtés from scratch. The onion soup is outstanding, as is the classic duck confit. Terrace dining is a must during the warmer months.

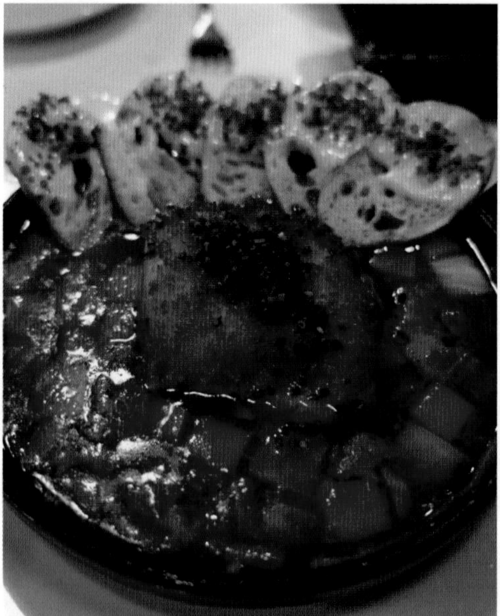

L'Espoir du Hibou

KOREA
TOURISM
ORGANIZATION
Korea asks you
Have you ever ______?
Experience the past and present of Korea!
EXO
Imagine your Korea

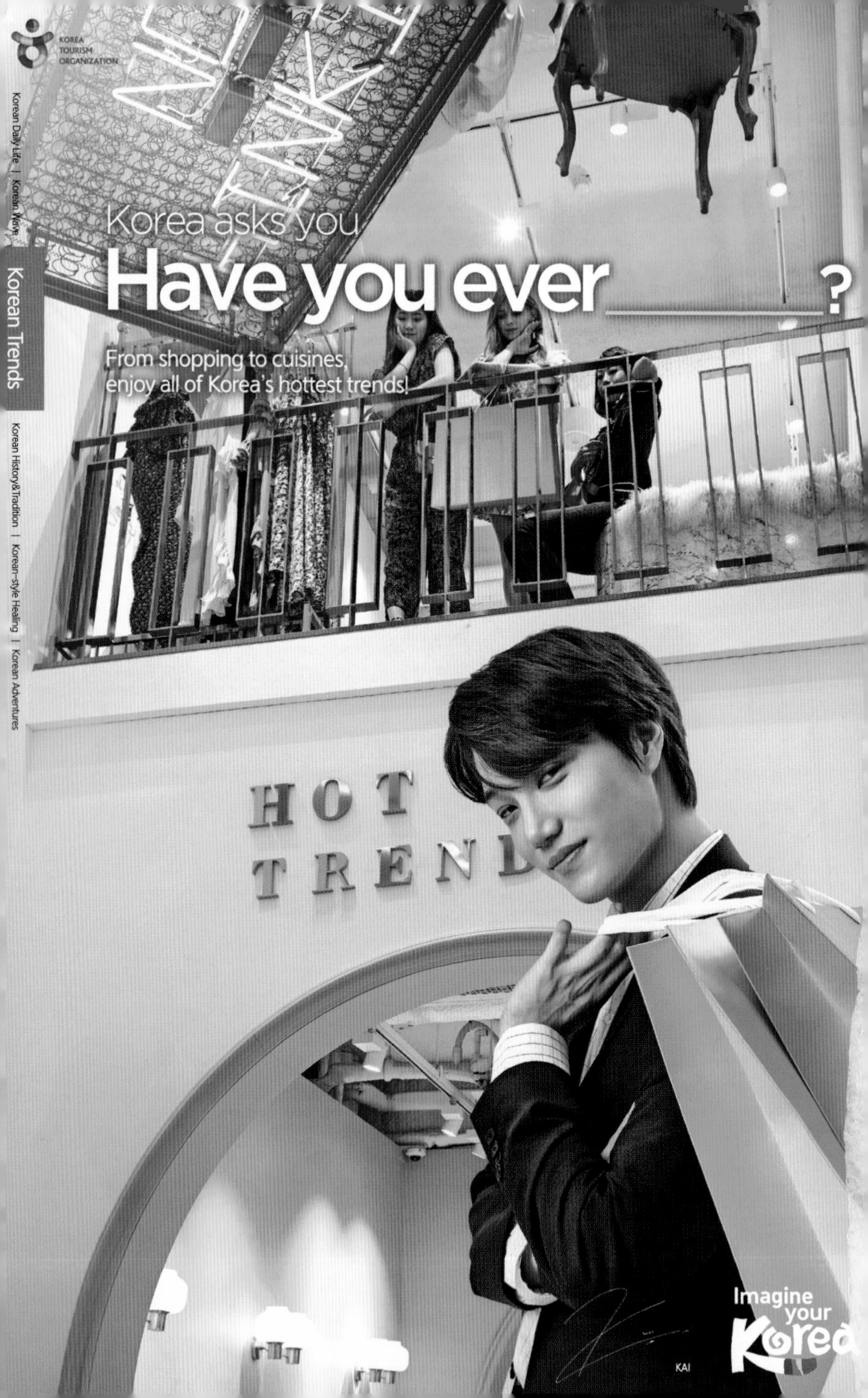
KOREA TOURISM ORGANIZATION
Korean Daily Life | Korean Wave
Korean Trends
Korean History&Tradition | Korean-style Healing | Korean Adventures
Korea asks you
Have you ever ________?
From shopping to cuisines,
enjoy all of Korea's hottest trends!
HOT
TREND
KAI
Imagine your Korea

류니끄
RYUNIQUE
이노베이티브 *Innovative*

신사동 세로수길에 자리한 우아한 레스토랑인 류니끄는 류태환 셰프의 '류'와 특별함을 나타내는 '유니크'의 합성어로, 이름처럼 독특한 음식을 선보이는 곳이다. 셰프의 추억이 담긴 시그너처 디시인 메추라기를 비롯해 말린 닭 가슴살을 이용한 독특한 대구 요리 등 상상력이 충만한 요리를 보여준다. 일본에서 수련한 경험과 한국의 식재료가 만나 다양성을 보여주는 그의 요리가 궁금하다면 꼭 한번 경험해보길 권한다. 메뉴에 적힌 이름 그대로 형상화된 플레이팅과 음식을 경험할 수 있을 것이다.

The semi-eponymous restaurant — a combination of the chef's name "Ryu" and "unique" — specializes in modern fusion cuisine with an undeniably French accent and Japanese sensibilities using contemporary cooking techniques. Avant-garde presentation is a notable feature here, with the dishes often taking on the visual image of their names. Signature dishes include quail two ways and seared cod topped with paper-thin shavings of dried chicken.

TEL. 02-546-9279

강남구 강남대로 162길 40

40 Gangnam-daero 162-gil, Gangnam-gu

www.ryunique.co.kr

■ 가 격 PRICE

점심 Lunch

코스 Menu ₩₩₩₩

저녁 Dinner

코스 Menu ₩₩₩₩ - ₩₩₩₩₩

■ 운영시간 OPENING HOURS

점심 Lunch 12:00-14:00 (L.O.)

저녁 Dinner 18:00-20:00 (L.O.)

■ 휴무일

ANNUAL AND WEEKLY CLOSING

설날, 추석, 월요일 휴무

Closed Lunar New Year, Korean Thanksgiving and Monday

10

TEL. 02-3445-1926

강남구 도산대로75길 15, 5층

5F, 15 Dosan-daero 75-gil, Gangnam-gu

■ 가 격 PRICE

점심 Lunch

코스 Menu ₩₩₩

저녁 Dinner

코스 Menu ₩₩₩₩

■ 운영시간 OPENING HOURS

점심 Lunch 12:00-13:30 (L.O.)

저녁 Dinner 18:00-20:30 (L.O.)

■ 휴무일

ANNUAL AND WEEKLY CLOSING

설날, 추석, 일요일 휴무

Closed Lunar New Year, Korean Thanksgiving and Sunday

리스토란테 에오
RISTORANTE EO

이탤리언 컨템퍼러리

Italian contemporary

예약제로만 운영하는 이탤리언 레스토랑 리스토란테 에오. 이곳은 밀라노에서 요리 경력을 쌓고 돌아온 어윤권 셰프가 특유의 열정과 세심함으로 음식을 준비한다. 그는 모던한 이탤리언 요리를 잘 구현하기로 정평이 나 있다. 코스로만 제공하는 리스토란테 에오의 메뉴는 이탤리언 요리의 정체성과 군더더기 없는 소박함, 재료의 정직함에 대한 셰프의 남다른 이해도를 잘 표현한 요리들로 구성되어 있다. 참고로 외부 간판이 없으므로 미리 레스토랑의 위치를 확인한 후 출발하길 권한다.

Be sure to call in to make a reservation as it is the only way to secure a table at Ristorante Eo. It may also be a bit of a challenge to track down the location as the restaurant does not have any signage. Chef Eo Yun-gwon, who developed his culinary skills in Milan, delivers highly accomplished modern Italian cuisine through two set menus. Each dish clearly demonstrates his insight into the integrity and simplicity of Italian cooking.

메종 드 라 카테고리
MAISON DE LA CATÉGORIE

프렌치 *French*

2013년부터 청담동에서 꾸준히 자리를 지키고 있는 '메종 드 라 카테고리'. 높은 천장과 모던한 아르데코풍 인테리어가 멋스러운 프랑스풍 식당으로, 정통 프렌치 요리를 선보이는 곳이다. 푸아그라와 오리 리예트, 비프 타르타르 외에도 트러플과 각종 버섯, 파르미지아노 레지아노 치즈를 올린 리조또, 그리고 저온에 구운 부드러운 양갈비 스테이크가 간판 메뉴다.

Maison de la Categorie is a classic French brasserie that serves up time-honored French fare in a modern Art Deco-inspired space. Signature dishes include classics like foie gras, duck rillettes and beef tartare. The restaurant's bestsellers include mixed mushroom risotto with truffles and parmigiano-reggiano as well as roasted lamb chops.

TEL. 02-545-6640

강남구 선릉로 826

826 Seolleung-ro, Gangnam-gu

■ 가 격 PRICE

점심 Lunch
코스 Menu ₩₩
단품 Carte ₩₩₩

저녁 Dinner
코스 Menu ₩₩₩
단품 Carte ₩₩₩

■ 운영시간 OPENING HOURS

점심 Lunch 11:00-15:00 (L.O.)
저녁 Dinner 17:30-20:30 (L.O.)

■ 휴무일
ANNUAL AND WEEKLY CLOSING

설날, 추석, 월요일 휴무
Closed Lunar New Year, Korean Thanksgiving and Monday

Maison de la Catégorie

무니 MUNI

일식 *Japanese*

화려한 청담동의 뒷골목에서 무심코 지나치기 십상인 일본 요리 전문점 '무니'. 현실적인 이유로 주방에서 일을 하기 시작했다는 김동욱 셰프는 처음부터 오로지 일식에만 집중했고, 나날이 커져가는 요리에 대한 갈증을 해소하기 위해 일본으로 떠났다. 가이세키의 정석이라고 표현하기에는 한계가 있는 것이 사실이다. 하지만 자신이 부지런히 수집해온 그릇에 제철 요리를 담아 계절감을 뚜렷하게 표현해 내는 등 그의 요리에는 전통적인 요소들이 녹아 있다. 일본 니혼슈 소믈리에(키키사케시) 자격증을 취득한 그에게 요리와 어울릴 만한 사케를 추천받는다면 한층 더 풍성한 다이닝을 경험할 수 있을 것이다.

Tucked away in a back alley of glitzy Cheongdam-dong, Muni is helmed by Chef Kim Dong-wook, who started working in kitchens to make ends meet. To quench his growing thirst for knowledge in Japanese cuisine, Kim left for Japan to hone his skills, which would one day lay the foundation for this restaurant. To describe his style of cooking as textbook kaiseki is overkill, but his respect for tradition is evident, including in the way he utilizes seasonal ingredients and the way he plates his creations. The chef is a certified sake sommelier (Kikisake-shi), so ask for recommendations.

8

TEL. 02-511-1303

강남구 도산대로72길 16

16 Dosan-daero 72-gil, Gangnam-gu

■ 가 격 PRICE

저녁 Dinner

코스 Menu ₩₩₩ - ₩₩₩₩

■ 운영시간 OPENING HOURS

저녁 Dinner 18:00 - 24:00 (L.O.)

■ 휴무일

ANNUAL AND WEEKLY CLOSING

설날, 추석, 일요일 휴무

Closed Lunar New Year, Korean Thanksgiving and Sunday

강남구 GANGNAM-GU

Muni

미토우 Ⓝ
MITOU

일식 *Japanese*

입구에 들어서는 순간부터 일본의 전통 요리집 분위기가 물씬 풍기는 '미토우'. 레스토랑의 단아한 인테리어가 권영운, 김보미 셰프의 정갈한 일본 요리와 조화를 이룬다. 미토우의 오마카세는 신선한 한국의 제철 식재료를 사용하기 때문에 메뉴가 매달 조금씩 달라진다. 가장 맛있는 식재료를 손님에게 대접하고자 하는 두 셰프의 끊임없는 도전 정신이 그대로 반영된 결과다. 미토우의 대표 요리는 국물 요리 오완과 솥밥이다. 일본에서 요리 공부를 하며 얻게 되었다는 진중한 수련의 자세와 겸손함, 그리고 정진의 마음가짐이 미토우의 완성도 높은 요리에 고스란히 담겨 있다.

From the simple elegant interior to the refined details that highlight the seasonality of the menu, chefs Kwon Young-woon and Kim Bo-mi are devoted to providing their customers with an authentic Japanese dining experience. The omakase menu at Mitou changes on a monthly basis as they showcase some of the best local ingredients at the height of their freshness. The restaurant's two signature courses are the soup dish "owan" and the seasonal rice dish "gohan." The warm and engaging nature of the chefs, meticulously plating up the dishes behind the open counter, is part of the restaurant's charm.

4

TEL. 010-7286-9914

강남구 논현로 151길 17, 2층

2F, 17 Nonhyeon-ro 151-gil, Gangnam-gu

■ 가격 PRICE

저녁 Dinner

코스 Menu ₩₩₩₩

■ 운영시간 OPENING HOURS

저녁 Dinner 18:00 - 24:00 (L.O.)

■ 휴무일

ANNUAL AND WEEKLY CLOSING

설날, 추석, 월요일 휴무

Closed Lunar New Year, Korean Thanksgiving and Monday

강남구 GANGNAM-GU

Mitou

32

TEL. 02-566-0870

강남구 언주로 107길 33

33 Eonju-ro 107-gil, Gangnam-gu

■ 가 격 PRICE

점심 Lunch
코스 Menu ₩₩ - ₩₩₩
단품 Carte ₩ - ₩₩₩₩

저녁 Dinner
코스 Menu ₩₩₩₩ - ₩₩₩₩₩
단품 Carte ₩₩₩ - ₩₩₩₩

■ 운영시간 OPENING HOURS

점심 Lunch 11:30-13:30 (L.O.)
저녁 Dinner 17:30-21:30 (L.O.)

■ 휴무일
ANNUAL AND WEEKLY CLOSING
설날, 추석, 일요일 휴무
Closed Lunar New Year, Korean Thanksgiving and Sunday

뱀부 하우스
BAMBOO HOUSE

바비큐 *Barbecue*

현대적인 세련미가 인상적인 뱀부 하우스는 1995년에 문을 연 바비큐 전문점이다. 이름에서부터 알 수 있듯 레스토랑을 둘러싸고 있는 대나무 정원이 무척이나 아름답다. 세련된 내부 인테리어가 인상적인 이곳은 풍부한 경험을 갖춘 셰프들이 정성스레 준비하는 다양한 종류의 한상 차림이 매력적이며, 유명 인사들이 즐겨 찾는 단골집이기도 하다. 대표 요리로는 찹쌀 호박전과 코냑 등심 등이 있다. 정갈한 전통 한식뿐만 아니라, 양질의 육류를 제공하는 바비큐로도 널리 알려진 레스토랑이다.

A quaint bamboo garden provides an elegant backdrop to this traditional Korean restaurant — hence its name. Opened in 1995, this beloved haunt of local celebrities is a fine example of modern sophistication. The menu consists of attractive fixed-priced courses that offer a variety of authentic local dishes prepared by a team of experienced chefs. Signature dishes include crispy zucchini fritters and cognac beef sirloin flambé.

보름쇠
BOREUMSAE
바비큐 *Barbecue*

2015년 10월에 오픈한 보름쇠는 서울에선 그리 알려지지 않은 제주산 흑우를 제공하는 소고기 전문점이다. 이곳에서 운영하는 제주 농장에서 고기를 직접 공수하는데 등심과 안심, 안창살, 살치살, 생육회, 양지머리 등 취향에 따라 다양한 부위를 즐길 수 있다. 제주 농장에서 항공편으로 직배송하는 흑우인 까닭에 품질에 대한 자부심과 신뢰도가 남다르다. 한편, 식사 공간은 1층의 현대적인 다이닝 홀과 2층의 12개 개별 룸으로 구성되어 있다.

Beef restaurants are ubiquitous all over Korea, but this spot which opened in late 2015, offers something prized and uncommon: Jeju black cattle. Choose from a wide range of cuts including sirloin, tenderloin, chuck tail flap, outside skirt steak, brisket and two types of raw beef dishes: tartare and sashimi. The prime meat is flown in directly from the family-operated farm. Private rooms are available on the second floor.

26

TEL. 02-569-9967

강남구 테헤란로 81길 36

36 Teheran-ro 81-gil, Gangnam-gu

■ 가격 PRICE

단품 Carte ₩ - ₩₩₩

■ 운영시간 OPENING HOURS

점심 Lunch 11:00-14:30 (L.O.)
저녁 Dinner 17:00-21:00 (L.O.)

■ 휴무일
ANNUAL AND WEEKLY CLOSING
설날, 추석 휴무
Closed Lunar New Year and Korean Thanksgiving

Boreumsae

TEL. 02-544-9235

강남구 압구정로 72길 22, 2층

2F, 22 Apgujeong-ro 72-gil, Gangnam-gu

www.vaultsteakhouse.co.kr

■ 가격 PRICE

점심 Lunch

코스 Menu ₩₩

단품 Carte ₩₩ - ₩₩₩₩

저녁 Dinner

단품 Carte ₩₩₩ - ₩₩₩₩

■ 운영시간 OPENING HOURS

점심 Lunch 12:00-14:00 (L.O.)

저녁 Dinner 18:00-21:30 (L.O.)

주말, 공휴일 Weekend and Public Holiday

11:00-14:30 (L.O.), 17:00-21:30 (L.O.)

■ 휴무일

ANNUAL AND WEEKLY CLOSING

설날, 추석 휴무

Closed Lunar New Year and Korean Thanksgiving

볼트 스테이크하우스
VAULT STEAKHOUSE

스테이크하우스 *Steakhouse*

400여 종의 위스키를 보유하고 있는 볼트+82 건물 2층에 자리하고 있는 볼트 스테이크하우스는 인테리어에서부터 맛과 품질에 이르기까지 미국식 정통 스테이크 하우스를 표방한다. 미국 농무부가 인증한 프라임육 중에서도 항생제와 성장호르몬을 주입하지 않은 소고기만을 엄선해 사용하므로 품질에 대한 신뢰도가 높은 곳이기도 하다. 28일과 14일간 건조 숙성시킨 스테이크가 주메뉴로, 다양한 소고기 부위를 제공한다. 여러 가지 사이드 디시와 한 가지 디저트로 구성된 메뉴도 합리적이다.

The dimly lit masculine décor and a comprehensive whiskey collection with nearly 400 bottles to choose from make Vault+82 one of the most sought-after whiskey bars in Seoul. Right above it is the American-style Vault Steakhouse where premium USDA-approved American beef free of antibiotics and hormones is dry-aged for 14 and 28 days. Available cuts include T-bone, L-bone, bone-in ribeye, filet mignon, New York strip and boneless ribeye.

Vault Steakhouse

볼피노
VOLPINO
이탤리언 *Italian*

쿠촐로와 마렘마에 이은 김지운 셰프의 세 번째 이탤리언 레스토랑 볼피노. 이곳에 들어서면 먼저 식당의 격식 없는 자유로운 구조와 통창으로 엿보이는 주방 내부의 분주한 풍경이 눈길을 사로잡는다. 실제 이탈리아에 있는 레스토랑에 온 듯한 느낌을 주는 실내의 다양한 색감과 투박한 메뉴판 디자인도 볼피노만의 분위기를 자아내는 데 한몫한다. 스테디셀러인 새우 소시지 오징어 먹물 펜네와 우니 파스타, 트러플 아란치니와 견과류로 속을 채운 오븐구이 통삼겹살 포르케타는 꼭 한번 맛보길 권한다.

Located in Sinsa-dong, Volpino is Chef Kim Ji-woon's third Italian restaurant in Seoul after Cucciolo and Maremma. The restaurant offers a good selection of classic Italian dishes in each of the menu categories: cicchetti or bite-sized snacks, starters, pastas, classic meat dishes and desserts. Best-sellers include truffle arancini, squid ink penne with shrimp sausage, uni spaghetti, tagliatelle with ragù Bolognese and oven-baked porchetta stuffed with crushed nuts and aromatics.

TEL. 010-2249-1571

강남구 도산대로 45길 10-7

10-7 Dosan-daero 45-gil, Gangnam-gu

■ 가격 PRICE

단품 Carte ₩₩ - ₩₩₩₩

■ 운영시간 OPENING HOURS

점심 Lunch 12:00-14:00 (L.O.)

저녁 Dinner 18:00-21:00 (L.O.)

■ 휴무일
ANNUAL AND WEEKLY CLOSING

1월 1일, 설날, 추석 휴무
Closed 1st January, Lunar New Year and Korean Thanksgiving

TEL. 02-546-2305

강남구 선릉로 664

664 Seolleung-ro,
Gangnam-gu

■ 가 격 PRICE

단품 Carte ₩ - ₩₩

■ 운영시간 OPENING HOURS

점심 Lunch 11:30-14:45 (L.O.)

저녁 Dinner 17:00-20:30 (L.O.)

■ 휴무일
ANNUAL AND WEEKLY CLOSING

8월 15일, 설날, 추석 휴무

Closed 15th August, Lunar New Year and Korean Thanksgiving

봉밀가
BONGMILGA

냉면 *Naengmyeon*

2007년부터 레스토랑 운영을 해온 권희승 셰프는 본인이 가장 즐겨 먹는 메밀 면에 대한 열정으로 지금의 봉밀가를 오픈했다. 기라성같이 훌륭한 냉면집들에 '시간과 정성이 들어간 요리'로 도전하고 싶다는 권 셰프는 그 누구보다 재료 준비에 많은 시간을 투자한다. 한우 양지머리, 설깃살, 한약재 등을 이용하여 5시간 동안 끓여낸 순수한 육수만을 사용하고 타 냉면집보다 굵은 면발을 만들어 낸다. '냉면' 대신 '평양 메밀 물국수'라는 이름을 사용하는 것도 봉밀가만의 특징이다. 오후 휴식 시간이 있으니 참고하기 바란다.

This restaurant is a relative newcomer to Seoul's Pyeongyang cold buckwheat noodle scene but Chef Kwon Hee-seung's passion for serving authentic bowls of cold buckwheat noodles more than makes up for its short history. Kwon begins each day by preparing the broth for the cold noodles, using cuts from local beef such as brisket, flank and round. He also throws in some medicinal herbs for good measure. Kwon's noodles are made of 80% buckwheat flour, 20% sweet potato starch and are thicker than the versions served at most of its competitors.

비스트로 드 욘트빌
BISTROT DE YOUNTVILLE
프렌치 *French*

클래식한 프렌치 비스트로를 그대로 옮겨놓은 듯한 비스트로 드 욘트빌. 이곳의 편안하고 아늑한 분위기는 마치 프랑스 본토에 와 있는 듯한 착각에 빠져들게 한다. 기본에 충실한 타미 리 셰프의 프랑스 요리는 그의 세심한 배려와 끊임없는 노력을 대변한다. 레스토랑의 이름도 캘리포니아 나파 밸리의 '프렌치 런드리' 레스토랑이 있었던 욘트빌에서 따올 만큼 그곳에서 지낸 최고의 경험을 손님들에게도 선사하고 싶었다고. 그가 선사하는 맛있는 음식과 분위기를 음미하며 잠시 도심의 소란스러움을 잊어보는 것도 좋을 듯하다.

A few years honing his skills at Thomas Keller's The French Laundry in Napa Valley inspired Chef Tommie Lee to open his own French restaurant in Seoul. Bistrot de Yountville is so charming and authentic that it will make any diner feel like they have been whisked away to France. Classics like pâté de campagne, steak tartare, boeuf Bourguignon, coq au vin and cassoulet are solid choices. End your meal on a sweet note with baba au rhum or profiteroles.

8

TEL. 02-541-1550

강남구 선릉로 158길 13-7

13-7 Seolleung-ro 158-gil, Gangnam-gu

■ 가격 PRICE

점심 Lunch
코스 Menu ₩₩ - ₩₩₩

저녁 Dinner
코스 Menu ₩₩₩
단품 Carte ₩₩₩ - ₩₩₩₩

■ 운영시간 OPENING HOURS

점심 Lunch 12:00-14:00 (L.O.)
저녁 Dinner 18:00-21:00 (L.O.)

■ 휴무일
ANNUAL AND WEEKLY CLOSING

설날, 추석 휴무
Closed Lunar New Year and Korean Thanksgiving

삼원가든
SAMWON GARDEN

바비큐 *Barbecue*

'고급 한식 레스토랑'을 콘셉트로 1976년에 문을 연 이래 강남의 역사와 함께해왔다고 해도 과언이 아닌 삼원가든. 1981년에 지금의 자리로 이전했다. 세계적으로 명망 있는 정치인과 연예인을 포함한 외국 VIP 손님들이 으레 찾는 곳으로도 유명한 이곳의 대표 메뉴는 최상급의 한우로 만든 생갈비, 양념갈비, 생등심 꽃살, 생등심 불고기 등이다. 한국의 전통적인 분위기가 물씬 느껴지는 이곳에서 최고의 서비스를 받으며 오붓하게 식사를 즐길 수 있다.

The beautifully lit traditional garden, complete with a cascading waterfall, is the first thing that welcomes guests in the evening. This long-standing establishment has been an integral part of Gangnam's history since 1976, celebrated for its top-quality Korean beef barbecued over hardwood charcoal. Select your cut of meat and let the efficient staff cook it for you as you enjoy a full spread of complementary side dishes.

150

TEL. 02-548-3030

강남구 언주로 835

835 Eonju-ro, Gangnam-gu

www.samwongarden.com

■ 가격 PRICE

단품 Carte ₩ - ₩₩₩₩

■ 운영시간 OPENING HOURS

12:00-21:00 (L.O.)

🍴○

슈밍화 미코
SHUMINGHWA MIKO

재패니즈 컨템퍼러리
Japanese contemporary

'국물 장인'이라 불리는 신동민 셰프의 슈밍화 미코. 일식 분자요리 전문점이었던 슈밍화 시절부터 두터운 마니아층을 형성해온 그는 일식에 기반을 둔 컨템퍼러리 재패니즈를 선보인다. 사이펀으로 우려낸 진한 감칠맛의 가다랑어 포 다시마 육수, 두 가지 부위를 동시에 맛볼 수 있는 한우 타다키, 셰프가 직접 담근 간장으로 지은 밥 등이 재료 본연의 맛에 셰프의 손맛을 가미한 이곳의 대표 요리들이다. 점심시간에는 간단한 면 요리를 제공하며, 저녁에는 코스 요리를 선보인다.

Chef Shin Dong-min is known for Japanese molecular cuisine from his previous restaurant Shuminghwa. At this location, he shifts his discipline to Japanese-inspired contemporary cuisine. His famous hot infusion siphon dashi - prepared tableside - may come across as gimmicky at first, but one slurp of the intensely flavorful broth will dissolve any prior skepticism. The Korean beef tataki and rice cooked with homemade soy sauce are perfect examples of his current style of cooking — straightforward food that respects the integrity of ingredients.

6

TEL. 02-3446-1227

강남구 도산대로85길 14

14 Dosan-daero 85-gil, Gangnam-gu

■ 가격 PRICE

점심 Lunch

단품 Carte ₩ - ₩₩₩

저녁 Dinner

코스 Menu ₩₩₩ - ₩₩₩₩

단품 Carte ₩ - ₩₩₩

■ 운영시간 OPENING HOURS

점심 Lunch 11:30-14:00 (L.O.)

저녁 Dinner 18:00-21:00 (L.O.)

■ 휴무일

ANNUAL AND WEEKLY CLOSING

1월 1일, 설날, 추석, 일요일 휴무

Closed 1st January, Lunar New Year, Korean Thanksgiving and Sunday

TEL. 02-6925-3126

강남구 언주로 168길 6, 2층

2F, 6 Eonju-ro 168-gil,
Gangnam-gu

www.sushimai.co.kr

■ 가격 PRICE

점심 Lunch
코스 Menu ₩₩₩₩

저녁 Dinner
코스 Menu ₩₩₩₩₩

■ 운영시간 OPENING HOURS

점심 Lunch 12:00-14:30 (L.O.)
저녁 Dinner 18:00-19:30 (L.O.)

■ 휴무일
ANNUAL AND WEEKLY CLOSING

1월 1일, 설날, 추석, 일요일 휴무
Closed 1st January, Lunar New Year, Korean Thanksgiving and Sunday

스시 마이
SUSHI MAI

스시 *Sushi*

깔끔한 블랙 톤의 인테리어에 6석의 카운터가 전부인 아담한 스시 마이. 카운터 뒤의 디지털 스크린과 홀에 울려 퍼지는 신나는 음악이 강렬하면서도 모던한 인상을 안겨준다. 신라호텔 아리아케 출신의 유오균 셰프는 계절성이 높은 다양한 식재료와 식감의 변주를 통해 손님들의 오감을 만족시키기 위해 노력한다. 특히 강원도에서 공수한 성대, 솔치, 장치 등 익숙지 않은 생선들을 자주 이용하는 것이 특징이다. 또한 적초로 간을 한 샤리가 생선 본연의 맛을 더욱 잘 이끌어낸다. 장소가 협소하기 때문에 예약은 필수다.

With a sleek black interior and white countertop, Sushi Mai is a six-seater sushi restaurant helmed by Chef Yoo Oh-kyun, an alumnus of The Shilla Seoul's Ariake. From the start, the space grabs your attention with its modern touches, such as the digital screen that adorns the wall behind the counter and the upbeat music that welcomes you. Seasonality and a play on textures are everything to Yoo, known for using local fish you won't see often in other restaurants, like the spiny red gurnard, ricefish, and burbot (eelpout). With such limited seating, reservations are a must.

Sushi Mai

쏠레이 N
SOLEIL
프렌치 *French*

단순한 관심에서 시작했던 요리는 삶의 열정이 되었고, '요리하는 사람'이라는 타이틀까지 안겨 줌으로써 김영선 셰프의 인생에서 큰 부분을 차지하게 되었다. 프랑스에서 요리를 연마한 그는 귀국 후 클래식 프렌치 레스토랑 '쏠레이'를 열었다. 그가 지향하는 정통 프렌치 요리의 정체성과 깊이는 식재료 하나하나의 특성이 담긴 육수를 만드는 수고에서부터 시작된다. 화려하고 트렌디한 요리 기법이 오히려 더 어렵게 다가온다고 고백하는 그가 고객들과 교감하는 방법은 특유의 진중함과 담담함으로 시간과 정성을 들인 요리를 선보이는 것이다.

A simple fascination with food blossomed into a great life passion that led Chef Kim Yeong-seon to study French cuisine and hone his craft for close to a decade in France. It comes as no surprise, then, that he decided to open Soleil, a classic French restaurant, upon his return to Seoul. He takes ample time preparing the stocks that become sauces, the essence of classic French cuisine. Describing some of the latest trends in the kitchen as "too sophisticated," he prefers to do things the old-fashioned way.

TEL. 010-8010-5099

강남구 도산대로 70길 9, 2층

2F, 9 Dosan-daero 70-gil, Gangnam-gu

■ 가격 PRICE

점심 Lunch
코스 Menu ₩₩₩

저녁 Dinner
코스 Menu ₩₩₩₩

■ 운영시간 OPENING HOURS

점심 Lunch 12:00 - 13:30 (L.O.)
저녁 Dinner 18:00 - 20:00 (L.O.)

■ 휴무일
ANNUAL AND WEEKLY CLOSING
설날, 추석, 일요일 휴무
Closed Lunar New Year, Korean Thanksgiving and Sunday

Soleil

온
ON
프렌치 *French*

5

TEL. 02-547-0467

강남구 도산대로 92길 42, 지하 1층

B1F, 42 Dosan-daero 92-gil, Gangnam-gu

■ 가격 PRICE

코스 Menu ₩₩₩ - ₩₩₩₩

■ 운영시간 OPENING HOURS

점심 Lunch 11:30-13:30 (L.O.)

저녁 Dinner 18:00-20:30 (L.O.)

■ 휴무일

ANNUAL AND WEEKLY CLOSING

1월 1일, 설날, 추석, 월요일 휴무

Closed 1st January, Lunar New Year, Korean Thanksgiving and Monday

레스토랑 '시옷'이 새로운 상호를 걸고 돌아온 레스토랑 '온'. 이름에 담긴 뜻처럼 따뜻하고 편안한 음식을 대접하려는 셰프의 마음을 느낄 수 있는 곳이다. 다이닝 공간은 손님들의 프라이버시를 완벽히 보장할 수 있게 설계되었고, 테이블 두세 개가 전부이기 때문에 철저히 예약제로만 운영된다. 제철 프렌치 요리의 진수를 경험하기에 안성맞춤인 곳으로, 찰 토마토와 송이 토마토를 오븐에 건조하여 당도와 산미를 최대로 끌어올린 토마토와 루비 자몽이 '온'을 대표하는 채소 요리다.

The name may have changed from the previous Siot to the current On, but the food at this refined French restaurant retains its integrity. The elegant space is simple and intimate with just two or three tables, with the layout designed to guarantee the privacy of diners. Because there is limited seating, prior reservations are mandatory. On focuses on seasonal produce to prepare its signature offerings, including a vegetable dish that consists of ruby red grapefruit and two types of oven-dried tomatoes that highlight their exquisite sweetness and acidity.

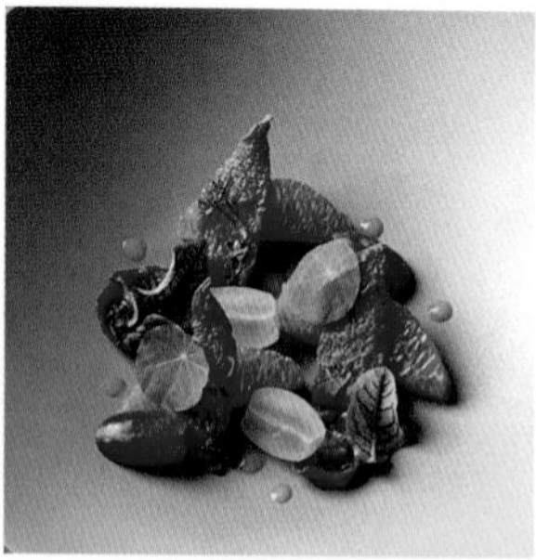

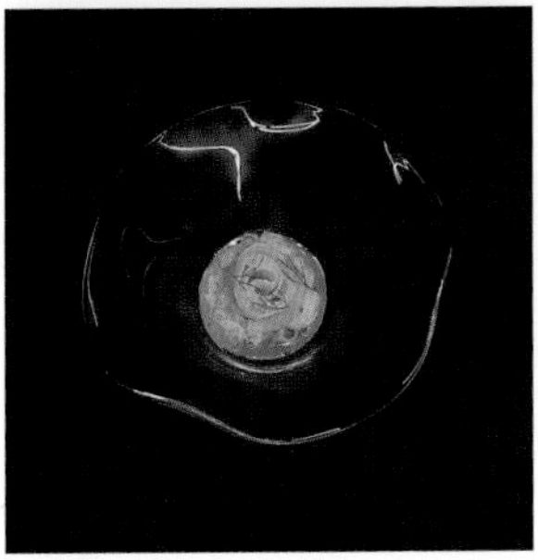

옳음
OLH EUM

코리안 컨템퍼러리 *Korean contemporary*

도산공원 옆에 위치한 옳음은 '옳다' 혹은 '바르다'를 의미하는 우리말에서 따온 이름으로 '한결같이 정직한 음식을 만들겠다'는 서호영 셰프의 다짐이 반영되어 있는 곳이다. 식당을 운영하셨던 할머니와 부모님의 영향으로 요리를 시작한 그는 남도에서 부모님이 직접 농사지어 보내주시는 신선한 재료와 해외에서 익힌 경험을 바탕으로 장르의 경계를 넘나드는 창의적인 요리를 선보인다. 그중에서도 민물새우와 액젓, 된장으로 깊은 맛을 낸 '새우 성게장 비빔면'은 익숙한 재료에 본인만의 색깔을 입혀 새로운 맛을 끌어내는 서 셰프의 요리 스타일을 단적으로 보여주는 예라 할 수 있다.

Cooking honest food that respects the integrity of ingredients is the motto of Chef Seo Ho-young, who cooks with the freshest produce sent to him by his farmer parents. Transporting familiar flavors to new territories is his game. Take, for example, his shrimp and sea urchin capellini in a silky smooth bisque-like sauce made with freshwater shrimp heads, fermented fish sauce and doenjang, or smoked striploin carpaccio served with a mushroom and soy sauce consommé.

10

TEL. 02-549-2016

강남구 압구정로 46길 51, 2층

2F, 51 Apgujeong-ro 46-gil, Gangnam-gu

www.olheum.co.kr

■ 가 격 PRICE

점심 Lunch
코스 Menu ₩₩₩

저녁 Dinner
코스 Menu ₩₩₩₩

■ 운영시간 OPENING HOURS

점심 Lunch 12:00-14:00 (L.O.)
저녁 Dinner 18:00-20:00 (L.O.)

■ 휴무일
ANNUAL AND WEEKLY CLOSING

1월 1일, 설날, 추석, 화요일 휴무
Closed 1st January, Lunar New Year, Korean Thanksgiving and Tuesday

강남구 GANGNAM-GU

32

TEL. 02-567-5225

강남구 삼성로 555

555 Samseong-ro, Gangnam-gu

■ 가 격 PRICE

단품 Carte ₩ - ₩₩₩

■ 운영시간 OPENING HOURS

11:00-20:30 (L.O.)

■ 휴무일

ANNUAL AND WEEKLY CLOSING

1월 1일, 설날, 추석, 일요일 휴무

Closed 1st January, Lunar New Year, Korean Thanksgiving and Sunday

외고집 설렁탕
OEGOJIP SEOLLEONGTANG

설렁탕 *Seolleongtang*

2005년, 장모님께 전수받은 설렁탕 조리법을 발전시켜 시작했다는 외고집 설렁탕의 현 대표는 단출하지만 정성 가득한 설렁탕 맛을 이어가고 있다. 설렁탕과 수육, 그리고 육개장에 사용하는 소고기를 직접 선별할 만큼 좋은 식재료만을 고집하는 그의 마음이 기본에 충실한 이곳 음식에 고스란히 드러난다. 편안한 한국식 밥집 분위기를 온전히 느낄 수 있는 곳이다.

What this restaurant lacks in variety, it makes up for it in quality. Since 2005, the establishment has been serving up hearty bowls of ox bone soup, the ultimate Korean comfort food. The recipe, handed down to the current proprietor by his mother-in-law, has been tweaked over the years, but one thing remains constant — the love and care put into each and every bowl of soup. It is highly recommended for those seeking a truly local experience.

우가
WOOGA
바비큐 *Barbecue*

한우의 본고장인 횡성을 시작으로 2015년 서울에 둥지를 튼 우가는 최상급 건조 숙성 한우를 완전히 익혀 제공하는 독특한 콘셉트로 주목받아왔다. 이 방법은 허세병 셰프가 'Meat Science(고기 과학)'라는 슬로건 아래 오랫동안 고민하고 연구한 끝에 얻은 결과로 소고기의 풍미를 최대한 살려주는 것이 특징이다. 우가의 대표 메뉴인 숙성 꽃등심과 차돌박이 외에도 당뇨를 앓던 가족을 위해 셰프의 어머니가 21년간 42차례 발효시킨 장으로 끓인 토장찌개 또한 많은 사랑을 받고 있다.

Wooga was originally born in Hoengseong, the beef capital of Korea. The restaurant is known for preparing the choicest quality local beef in its unique style: dry aged and well done. Chef Heo Se-byeong has been experimenting tirelessly with beef under the slogan "meat science" to maximize the characteristics of this meat such as tenderness, juiciness and flavor. Don't miss out on another perennial favorite: a stew made with 21-year-old soybean paste fermented over 42 separate stages by the chef's own mom.

15

TEL. 02-6272-2223
강남구 도산대로49길 22, 지하 1층
B1F, 22 Dosan-daero 49-gil, Gangnam-gu

■ 가격 PRICE
단품 Carte ₩₩ - ₩₩₩₩

■ 운영시간 OPENING HOURS
점심 Lunch 12:00-14:30 (L.O.)
저녁 Dinner 17:00-21:30 (L.O.)

■ 휴무일
ANNUAL AND WEEKLY CLOSING
설날, 추석 휴무
Closed Lunar New Year and Korean Thanksgiving

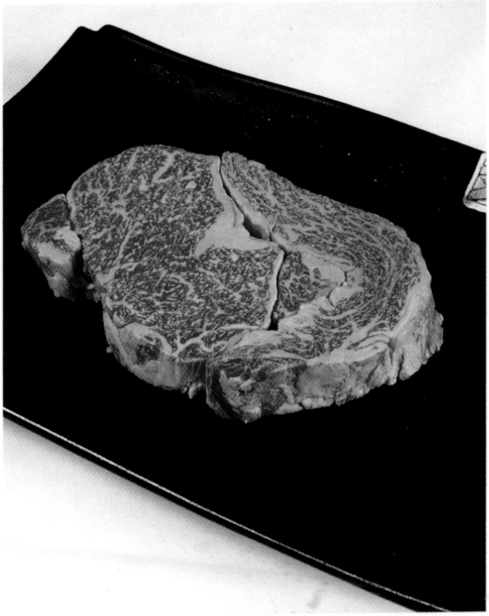

이타카 N
ITHACA

유러피언 컨템퍼러리
European contemporary

TEL. 02-542-7006

강남구 언주로 174길 30

30 Eonju-ro 174-gil, Gangnam-gu

■ 가 격 PRICE

점심 Lunch
코스 Menu ₩₩

저녁 Dinner
코스 Menu ₩₩₩

■ 운영시간 OPENING HOURS

점심 Lunch 12:00-14:00 (L.O.)
저녁 Dinner 18:00-20:30 (L.O.)

■ 휴무일
ANNUAL AND WEEKLY CLOSING

설날, 추석, 월요일 휴무
Closed Lunar New Year , Korean Thanksgiving and Monday

'이타카'의 김태윤 셰프는 사람이 환경과 좋은 관계를 이룰 때, 건강하고 안전한 식재료를 얻을 수 있다고 믿는다. 따라서 그에게는 좋은 식재료를 찾아 내는 여정 역시 요리를 완성해 가는 중요한 과정이다. 자연 농법으로 키운 돼지, 방목 흑염소, 현대적으로 재해석한 고려인의 당근 김치 등 사람과 환경의 지속 가능한 관계에 대한 그의 고민이 메뉴에 고스란히 녹아 있다. '이타카'의 요리는 단순하지 않다. 각종 경계를 넘나드는 맛의 조합과 셰프의 뚜렷한 가치관이 반영된 요리에서 신선한 충격을 느낄 것이다.

Chef Kim Tae-yoon believes that healthy and safe ingredients are the fruit of a healthy relationship between humans and nature. That is why, for him, searching for the best ingredients he can find constitutes a fundamental aspect of cooking. Naturally farmed pork, free-range black goat meat, and his modern interpretation of morkovcha, a spicy carrot salad eaten by the Korean diaspora in Central Asia as a substitute for kimchi, are some of the offerings at Ithaca. Chef Kim's creations are an amalgam of refreshing combinations that push boundaries and surprise the palate.

쵸이닷
CHOI.
이노베이티브 *Innovative*

2017년 5월, 청담동에 문을 연 최현석 셰프의 쵸이닷. 이곳에선 일정 장르에 구애받지 않고 셰프 본인의 다양한 여행 경험과 상상력에서 얻은 영감을 시각적인 재미가 더해진 요리로 형상화한다. 울릉도 해안의 절경, 유채꽃이 만발한 제주도의 봄, 붕어빵을 꼭 닮은 생선 요리 등 창의적이고 직관적인 요리들이 친근하게 다가온다. 시각과 미각이 즐거운 요리를 우아한 공간에서 즐길 수 있는 쵸이닷에선 런치에는 클래식 이탤리언 코스를, 디너에는 최 셰프의 감각적이고 창의적인 코스를 맛볼 수 있다.

Chef Choi Hyun-seok is careful about defining the style of food he serves as anything more than himself on a plate, although much of the fare is decidedly European influenced. Inspirations and experiences are channeled into each of the dishes and the whimsical ways in which they are presented to the customer: the jagged coastline of Ulleungdo Island with its porous trachyandesite rocks, and springtime in Jeju with its seemingly endless fields of yellow rapeseed flowers, to name a few. Choose from two different prix fixe lunch menus and one dinner menu.

18

TEL. 02-518-0318

강남구 도산대로 457, 3층

3F, 457 Dosan-daero, Gangnam-gu

www.choidot.co.kr

■ 가 격 PRICE

점심 Lunch
코스 Menu ₩₩₩

저녁 Dinner
코스 Menu ₩₩₩₩

■ 운영시간 OPENING HOURS

점심 Lunch 12:00-14:00 (L.O.)
저녁 Dinner 18:30-20:20 (L.O.)

■ 휴무일
ANNUAL AND WEEKLY CLOSING

설날, 추석 휴무
Closed Lunar New Year and Korean Thanksgiving

TEL. 02-579-0538

강남구 논현로24길 37

37 Nonhyeon-ro 24-gil, Gangnam-gu

■ 가 격 PRICE

저녁 Dinner

코스 Menu ₩₩₩

■ 운영시간 OPENING HOURS

저녁 Dinner 18:00- 21:30 (L.O.)

■ 휴무일

ANNUAL AND WEEKLY CLOSING

설날, 추석, 일요일 휴무

Closed Lunar New Year, Korean Thanksgiving and Sunday

쿠시카와 Ⓝ

KUSHI KAWA

쿠시아게 *Kushiage*

일본 유학 시절 섭렵했던 일본의 대중 요리를 밑거름 삼아 '쿠시카와'를 오픈한 윤석현 대표. '쿠시카와'는 일본의 대표적인 대중 음식 중 하나인 꼬치 튀김(쿠시카츠)을 전문으로 하는 곳이다. 그날의 재료에 따라 제공되는 주방장 특선 요리 '오마카세' 코스는 약 14종의 꼬치 튀김으로 구성되며, 해산물과 육류, 채소 등 다양한 식재료를 곁들여 먹는 즐거움이 쏠쏠하다. 고객들의 만족스러운 표정을 볼 때마다 보람을 느낀다는 대표는 어린 시절을 보낸 동네에서 가게를 운영할 만큼 지역 주민의 입맛을 사로잡기 위해 노력한다고 한다.

Owner Yoon Seok-hyeon's inspiration to open Kushikawa stems from his sojourn in Japan where he became a connoisseur of popular Japanese dishes including kushikatsu (deep-fried skewered meat and vegetables). The omakase course at Kushikawa consists of 12 to 14 different types of deep-fried skewers prepared with seafood, meat and vegetables. Running a restaurant on his home turf where he grew up, Yoon tries to appeal to the local palate, and nothing brings him greater joy than the joyful expressions on his customers' beaming faces.

텐쇼 N
TENSHOU
덴푸라 *Tempura*

요리의 다양성을 중시하는 시대에, 익숙한 요리를 만들면서도 전통을 존중하는 레스토랑의 등장은 색다른 즐거움을 선사한다. 최지영 셰프가 주방을 책임지고 있는 '텐쇼'는 일본식 고급 튀김 요리를 전문으로 하는 레스토랑이다. 정통 일본식 덴푸라를 표방하는 텐쇼는 식재료 고유의 풍미를 튀김 옷 안에서 표현해낸다. 그만큼 튀김은 식재료에 대한 높은 이해는 물론이고 조리 과정에서 집중력을 요하는 요리이다. 오픈 카운터석 한구석에는 그 날 쓰일 신선한 식재료가 나무 쟁반에 먹음직스럽게 진열되어 있다. 카운터 뒤쪽 커다란 기름솥에서 튀겨내는 덴푸라는 제철 식재료의 매력을 즐기기에 안성맞춤이다.

Not many restaurants in Seoul offer diners an authentic taste of Japanese-style tempura omakase. Using the freshest seasonal ingredients, Chef Choi Ji-young strives to bring diners a taste of the season's best offerings, enveloped in a delicate batter and deep-fried to a crisp. Upon entering this restaurant, note the wooden tray showcasing the day's ingredients. Because tempura is such a delicate dish, the chef must have an in-depth understanding of all the ingredients as well as the frying technique. Sit at the counter and watch the chefs quietly fry up the day's offerings in a large copper pot.

TEL. 02-512-8678

강남구 언주로 152길 15-6, 3층

3F, 15-6 Eonju-ro 152-gil, Gangnam-gu

■ 가 격 PRICE

점심 Lunch
코스 Menu ₩₩₩

저녁 Dinner
코스 Menu ₩₩₩₩

■ 운영시간 OPENING HOURS

점심 Lunch 12:00 - 13:00 (L.O.)
저녁 Dinner 18:00 - 19:30 (L.O.)

■ 휴무일
ANNUAL AND WEEKLY CLOSING
설날, 추석, 일요일 휴무
Closed Lunar New Year, Korean Thanksgiving and Sunday

톡톡
TOC TOC
유러피언 컨템퍼러리
European contemporary

TEL. 010-3397-2215

강남구 학동로97길 41, 3층

3F, 41 Hakdong-ro 97-gil, Gangnam-gu

■ 가격 PRICE

점심 Lunch

코스 Menu ₩₩ - ₩₩₩

단품 Carte ₩₩₩ - ₩₩₩₩

저녁 Dinner

코스 Menu ₩₩₩₩

단품 Carte ₩₩₩ - ₩₩₩₩

■ 운영시간 OPENING HOURS

점심 Lunch 12:00-14:00 (L.O.)

저녁 Dinner 18:00-21:00 (L.O.)

■ 휴무일

ANNUAL AND WEEKLY CLOSING

월요일 휴무

Closed Monday

요리에 대한 김대천 셰프의 꾸준한 향상심과 좋은 재료에 대한 고집은 '톡톡'의 요리에서 뚜렷이 나타난다. '톡톡(Toctoc)'과 '요리학(Gastronomy)'을 합성한 'Toconomy'에는 김대천 셰프의 요리 철학이 담겨 있다. 김대천 셰프는 정확한 조리법으로 식재료 본연의 맛을 고스란히 전달하는 데 중점을 둔다. 그만큼 재료의 가치를 중요하게 생각하는 것이다. 트러플 만두와 개성 넘치는 파스타 요리들은 셰프의 정성과 창의성이 어떻게 톡톡의 요리에 반영되어 있는지를 잘 보여준다. 코스 요리 외에도 완성도 높은 다양한 단품 요리로 구성된 메뉴를 통해 톡톡이 제공하는 다양한 요리의 풍미를 즐길 수 있다.

For Chef Kim Dae-cheon, the ingredients and precise techniques that summarize his cooking philosophy are summed up in one word: toconomy (Toc Toc + gastronomy). Signature dishes at Toc Toc include truffle dumplings and pasta with Chef Kim's original flair. In addition to the course meals, the restaurant also offers a wide range of well-executed à la carte dishes.

강남구 GANGNAM-GU

KOREA TOURISM ORGANIZATION
Korea asks you
Have you ever________?
Experience the Korean Wave with K-pop stars!
D.O.
Imagine your Korea

파스토
PASTO
이탤리언 *Italian*

이탤리언 레스토랑에서 수년간 희로애락을 함께하며 성장해온 젊은이들이 새로운 발전을 도모하고자 의기투합했다. 건전한 외식 문화 정착에 일조하고 싶은 바람을 가진 파스토의 김현수 대표는 '글로벌 감성으로 풀어낸 정통 이탤리언'을 모토로, 한국인에게 유독 친근한 이탤리언 요리를 독창적인 방법으로 재해석하기 위해 다양한 노력을 기울이고 있다. 이곳에선 팔각을 활용한 파스타와 메밀 반죽으로 빚은 뇨키 등 아시아의 풍미가 살아 있는 요리를 편안한 분위기에서 맛볼 수 있다.

Under the motto, "a worldly interpretation of authentic Italian cuisine," the owner and chefs at Pasto are working to bring a new kind of Italian cuisine to the Seoul dining scene. Using distinctly Asian ingredients such as star anise and buckwheat, the restaurant recreates classic Italian fare like gnocchi with an unexpected twist, to the delight of Korean diners who are known for their love of Italian food. The vibe at Pasto is comfortable and the service friendly.

12

TEL. 02-515-6878

강남구 도산대로62길 17

17 Dosan-daero 62-gil, Gangnam-gu

www.pasto.kr

■ 가 격 PRICE

코스 Menu ₩₩₩₩

단품 Carte ₩₩₩ - ₩₩₩₩

■ 운영시간 OPENING HOURS

점심 Lunch 12:00-14:00 (L.O.)

저녁 Dinner 17:30-21:30 (L.O.)

■ 휴무일

ANNUAL AND WEEKLY CLOSING

1월 1일, 설날, 추석, 일요일 휴무

Closed 1st January, Lunar New Year, Korean Thanksgiving and Sunday

강남구 GANGNAM-GU

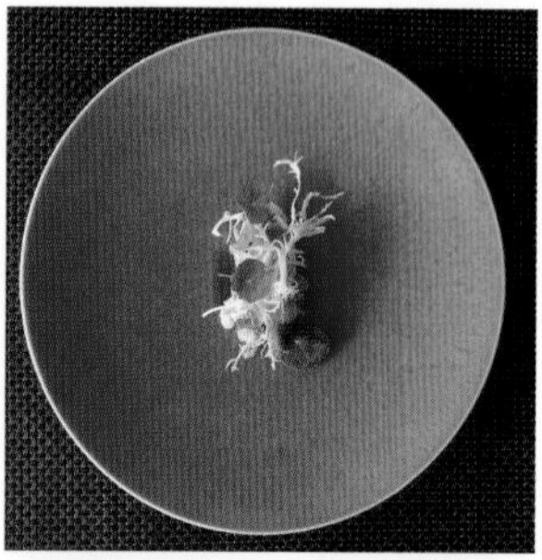

4

TEL. 02-546-7719

강남구 언주로 164길 39, 2층

2F, 39 Eonju-ro 164-gil, Gangnam-gu

■ 가격 PRICE

점심 Lunch

코스 Menu ₩₩

저녁 Dinner

코스 Menu ₩₩₩

■ 운영시간 OPENING HOURS

점심 Lunch 12:00-14:00 (L.O.)

저녁 Dinner 18:00-20:30 (L.O.)

■ 휴무일

ANNUAL AND WEEKLY CLOSING

설날, 추석, 일요일 휴무

Closed Lunar New Year, Korean Thanksgiving and Sunday

파씨오네
PASSIONNÉ

프렌치 *French*

'한국 부티크 레스토랑의 시작'이라 불리는 라미띠에를 시작으로 꾸준히 정통 프렌치 요리인의 길을 걸어온 이방원 셰프. 다소 늦은 나이에 프랑스로 인턴십을 떠날 만큼 열정과 끼로 똘똘 뭉친 그의 레스토랑 이름 역시 프랑스어로 '열정'을 의미한다. 그는 격식을 차리고 먹는 날 선 음식이 아닌 편안하게 즐길 수 있는 음식을 추구한다. 이곳에선 매일 시장에서 공급받는 신선한 재료로 그날그날의 요리를 준비하는데, '오늘의 코스'가 적힌 칠판을 들고 다니며 손님들에게 직접 설명해주는 모습도 정겹다.

Credited as being one of the pioneers of the French dining scene in Korea, Chef Lee Bang-won is a man of passion. Returning from a Paris internship well into his 40s, he opened Passionné, armed with his newfound experience. As a result, unpretentious food that is lovingly prepared using only the freshest ingredients is what you will find here. The smile on his face as he comes around with the daily chalkboard specials is an added bonus.

Passionné

팔레 드 고몽
PALAIS DE GAUMONT
프렌치 *French*

세월이 흘러도 변치 않는 것이 있는 법. 1999년부터 지금까지 청담동을 지키고 있는 팔레 드 고몽이 그러하다. 고풍스러운 멋과 클래식한 요리로 많은 이들의 사랑을 받아온 고급 프렌치 레스토랑답게 정통 조리법에 기반을 두고 있지만, 한국의 식재료를 이용해 손님이 최대한 만족할 수 있는 요리를 만들어내는 것이 목표라고 한다. 게다가 레스토랑 대표의 와인 사랑은 익히 알려져 있는 바, 국내에서는 가히 최고라 할 수 있는 1천여 종 이상의 와인 리스트를 보유하고 있다. 저녁 시간엔 한 가지 메뉴만을 선보인다.

This oldie but goodie is classier than ever after many years of being in business. With its classic French menu — featuring local, seasonal ingredients — and a good dose of old-school romantic ambience, Palais de Gaumont has been a beloved local fixture since 1999. The restaurant also boasts the single most extensive wine list in Korea with over 1,000 labels. The chef's tenacity shines through in the single tasting menu offered at dinner service.

TEL. 02-546-8877

강남구 도산대로81길 21

21 Dosan-daero 81-gil, Gangnam-gu

■ 가격 PRICE

코스 Menu ₩₩₩₩

■ 운영시간 OPENING HOURS

저녁 Dinner 18:00-21:00 (L.O.)

■ 휴무일
ANNUAL AND WEEKLY CLOSING

1월 1일, 설날, 추석 휴무
Closed 1st January, Lunar New Year and Korean Thanksgiving

Palais de Gaumont

하모
HAMO
한식 *Korean*

20

TEL. 02-515-4266

강남구 언주로 819, 2층

2F, 819 Eonju-ro, Gangnam-gu

www.hamo-kitchen.com

■ 가격 PRICE

단품 Carte ₩ - ₩₩

■ 운영시간 OPENING HOURS

점심 Lunch 11:30-14:30 (L.O.)
저녁 Dinner 17:00-21:00 (L.O.)
주말 Weekend 11:30-21:00 (L.O.)

■ 휴무일
ANNUAL AND WEEKLY CLOSING
설날, 추석 휴무
Closed Lunar New Year and Korean Thanksgiving

경상도 사투리로 '아무렴'을 의미하는 '하모'는 진주 교방 음식의 명맥을 이어가는 몇 안 되는 곳 중 하나다. 이곳에선 직접 농사지은 콩으로 담근 간장과 된장을 사용한다. 진주 출신의 아버지를 둔 덕분에 그곳 음식을 접하게 되었다는 이곳의 대표가 선보이는 진주 비빔밥은 놋그릇에 고슬고슬하게 지은 밥을 넣고 그 위에 여러 가지 나물과 소금, 참기름, 설탕, 마늘, 깨소금 등으로 양념한 육회를 가운데 올려 손님상에 낸다. 콩나물, 고사리, 죽순, 연근, 천엽 등을 조선간장과 겨자소스로 무쳐낸 조선 잡채 역시 이곳의 별미다.

Meaning "of course" in Gyeongsang province dialect, "Hamo" honors the traditions of authentic Jinju-style cuisine from the old days. Jinju bibimbap, with a mound of seasoned raw beef on top of vegetables and rice, comes in a brass bowl with a side of beef and turnip soup. The Joseon stir-fried vegetables tossed in a fragrant mustard sauce is also popular. The owner's family are soybean farmers and make all the fermented condiments from scratch.

하코네
HAKONE

일식 *Japanese*

그랜드 인터컨티넨탈 서울 파르나스 1층 로비에 자리하고 있는 고급 일식 전문점 하코네. 이곳은 일본의 정취와 세련되고 현대적인 디자인이 조화를 이룬 곳으로 특급 호텔에 걸맞은 최상급 요리를 제공한다. 계절에 따른 제철 재료를 활용한 특선 요리가 특징으로 여름철엔 민어와 농어 특선 코스를 선보인다. 하코네에선 일본산 장류와 일부 소스 외엔 모두 국내 최상급 식재료만 사용한다. 개인적인 기호와 상황에 따라 스시 카운터와 일본 스타일의 별실 중 선택이 가능하다.

Walk through the charming InterContinental Parnas Hotel lobby to find the discreet entrance of this luxurious Japanese restaurant. Composed of many private rooms along the garden and a sushi counter, the space is quiet and tasteful. Hakone offers the usual staples found at high-end Japanese restaurants, but the addition of seasonal specials, made with the freshest ingredients, makes it stand out among its peers. Summer specials include sea bass and croaker.

20

TEL. 02-559-7623

강남구 테헤란로 521, 그랜드 인터컨티넨탈 파르나스 호텔 1층

1F Grand InterContinental Parnas Hotel, 521 Teheran-ro, Gangnam-gu

https://seoul.intercontinental.com

■ 가 격 PRICE

점심 Lunch
코스 Menu ₩₩₩ - ₩₩₩₩
단품 Carte ₩₩ - ₩₩₩₩₩

저녁 Dinner
코스 Menu ₩₩₩₩ - -₩₩₩₩₩
단품 Carte ₩₩ - ₩₩₩₩₩

■ 운영시간 OPENING HOURS

점심 Lunch 11:30-14:00 (L.O.)
저녁 Dinner 18:00-21:30 (L.O.)

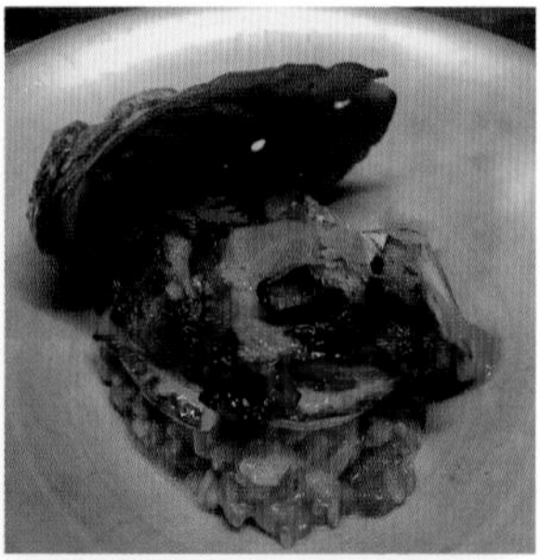

TEL. 02-6953-0313

강남구 도산대로 16길 6-10 지하 1층

B1F, 6-10 Dosan-daero 16-gil, Gangnam-gu

■ 가 격 PRICE

저녁 Dinner

코스 Menu ₩₩₩₩

단품 Carte ₩₩ - ₩₩₩₩

■ 운영시간 OPENING HOURS

저녁 Dinner 18:00 - 24:00 (L.O.)

■ 휴무일

ANNUAL AND WEEKLY CLOSING

1월 1일, 설날, 추석, 일요일 휴무

Closed 1st January, Lunar New Year, Korean Thanksgiving and Sunday

하쿠시 N

HAKUSI

일식 *Japanese*

상점이 즐비한 신사역 골목에 숨겨져 있는 듯한 '하쿠시'. '하쿠시'는 여러 나라를 돌며 한길만 걸어온 최성훈 셰프의 탄탄한 실력을 확인할 수 있는 캐주얼 일식 다이닝 바로, 전통 일식부터 모던 일식까지 모두 경험할 수 있는 곳이다. 홍콩을 대표하는 음식점 '류긴'에서 메인 그릴 셰프로 경험을 쌓으며 과학적이고 체계적인 숯불 요리를 연마했고, 그 덕분에 숯불 요리는 '하쿠시'를 대표하는 메뉴로 자리 잡았다. 주방의 요리사가 분주할수록 손님들의 만족도가 높아진다는 신념으로 요리하는 그의 진정성이 빈 도화지(하쿠시)에 고스란히 전달되기를 바란다.

Hidden away in the basement of a building in a bustling commercial alley near Sinsa subway station, Hakusi (Japanese for blank paper) is Chef Choi Seong-hun's casual dining bar. From traditional to modern, Choi's expertise lies in Japanese cuisine, having honed his skills in many different parts of the world, including Japan and Hong Kong. As the main man behind Hong Kong's Tenku RyuGin, Choi knows how to work a Japanese grill. It goes without saying that chargrilled dishes are not to be missed here. "The busier the chef in the kitchen, the happier the customers" is his motto.

호텔
HOTELS

파크 하얏트
PARK HYATT

비즈니스 상권의 중심지 중 하나인 삼성동에 위치한 파크 하얏트 서울은 하얏트 호텔 브랜드 중에서도 최고의 럭셔리함을 자랑하는 부티크 호텔이다. 원목과 자연 화강암 등 고급 마감재가 돋보이는 현대적이고 세련된 객실은 동급 호텔 중에서도 공간이 넓은 편이고, 최고급 어메니티도 비치되어 있다. 또한 바닥부터 천장까지 이어진 통창 덕분에 자연 채광도 훌륭하다. 이곳엔 비즈니스 고객과 도심에서 여가를 즐기려는 고객들이 편안하게 쉴 수 있는 실내 수영장과 스파, 피트니스센터, 미팅 룸 등 다양한 편의 시설도 마련되어 있다.

Park Hyatt Seoul is a luxury boutique hotel situated across from the COEX in one of the business centers of Seoul. The classy and contemporary guestrooms have plenty of natural light, thanks to floor-to-ceiling windows. The hotel aims to provide comfort and enjoyment for both a business clientele and tourists alike. It offers a wide range of recreational and business facilities such as an indoor swimming pool, a spa, gym as well as elegant meeting rooms.

TEL. 02-2016-1234
www.parkhyatt.com

강남구 테헤란로 606
606 Teheran-ro, Gangnam-gu

2인 룸 평균 가격 Price for 2 persons: ₩₩₩

객실 Rooms 185

TEL. 02-510-9700
www.aloftseoulgangnam.com

강남구 영동대로 736
736 Yeongdong-daero,
Gangnam-gu

2인룸 평균가격 Price for 2 persons: ₩

객실 Rooms 188

알로프트 강남
ALOFT GANGNAM

감각적인 비즈니스호텔 알로프트 서울 강남은 강남과 강북을 잇는 교통의 요충지에 자리하고 있으며, '독특하고 세련된 콘셉트'라 평가받는 W호텔의 사촌뻘로 객실의 작은 인테리어 소품조차 매우 특별하다. 이렇게 감각적인 디자인의 기본에는 고객의 편의를 최우선으로 생각하는 배려가 담겨 있다. 또한 객실은 활용도 높은 어메니티와 실용적인 공간 배치로 비즈니스 고객들에게 훌륭한 휴식처가 되어준다. 이곳은 시내 전망과 한강 조망 중 취향에 따라 객실을 선택할 수 있다.

This stylish and contemporary business hotel shares a similar design concept with W Hotel. The rooms are on the compact size, but are vibrantly decorated and well-furnished. The second-floor restaurant serves breakfast, lunch and dinner and offers live music every Thursday and Friday evening. Guests can choose between rooms with a city view or a river view. The well-equipped fitness center is located on the third floor.

카푸치노
CAPPUCCINO

2015년 12월에 오픈한 호텔로, 감각적이고 모던한 인테리어를 자랑한다. 톡톡 튀는 디자인으로 젊은 고객층에게 인기가 높은 어번 라이프스타일을 제안하는 호텔 카푸치노. 이곳에선 E&G(Earn & Giveaway)라는 독특한 프로그램을 통해 불필요한 소비를 줄이고 아낀 만큼 손님과 사회에 되돌려주는 사회 공헌 프로그램을 운영한다. 한편, 강남 시내가 한눈에 들어오는 루프톱 바에선 다양한 진토닉 칵테일을 맛볼 수 있다. 객실의 구조상 비즈니스 고객보다는 관광객과 젊은 층에게 안성맞춤이다.

Since its opening in 2015, Hotel Cappuccino has been popular among the relatively young with its quirky design and urban lifestyle concept. The social contribution program it promotes, encouraging guests to cut down on excessive expenditure, has been resonating among the clientele as well. The scenic rooftop "gintoneria" bar specializes in gin cocktails. More suitable for tourists and younger patrons than for the business clientele.

TEL. 02-2038-9500
www.hotelcappuccino.co.kr
강남구 봉은사로 155
155 Bongeunsa-ro, Gangnam-gu

2인 룸 평균 가격 Price for 2 persons: ₩

객실 Rooms 141

pius99/iStock

마포구 & 서대문구

MAPO-GU & SEODAEMUN-GU

마포구 & 서대문구 MAPO-GU & SEODAEMUN-GU

레스토랑
RESTAURANTS

교다이야
KYODAIYA

우동 *Udon*

합정역 근처의 조용한 주택가에 들어서면 나무 도마에 탁탁탁 작두날 튕기는 소리가 경쾌하게 들려온다. '형제의 집'을 뜻하는 교다이야는 두 형제가 운영하는 우동 전문점이다. 이곳에선 주문이 들어오는 대로 면을 써는 것을 원칙으로 한다. 면을 만들어놓으면 수분이 증발해 사누키 우동 특유의 매력을 느낄 수 없기 때문이다. 탱글탱글한 동시에 쫄깃하며 매끄러운 사누키 우동 면발, 정어리 훈제 포와 연간장으로 맛을 낸 시원한 감칠맛의 국물. 늘 한결같은 이곳의 우동 맛은 두 사장의 뚝심 있는 모습과 닮아 있다.

When one can hear the dull tap of a blade against a wooden board every time a customer places an order, it's a telltale sign that the chefs are serious about their craft. At Kyodaiya, that craft is Sanuki udon. The thick noodles are always cut to order to preserve their characteristic elasticity and smoothness until the very last minute. In addition to the classic kake udon, flavored with dried and smoked sardines and seasoned with light soy sauce, the chef brothers also offer classics like tempura udon and chilled bukkake udon.

TEL. 02-2654-2645
마포구 성지길 39
39 Seongji-gil, Mapo-gu

■ 가격 PRICE
단품 Carte ₩

■ 운영시간 OPENING HOURS
점심 Lunch 11:00-14:45 (L.O.)
저녁 Dinner 17:00-20:15 (L.O.)

■ 휴무일
ANNUAL AND WEEKLY CLOSING
1월 1일, 설날, 추석, 월요일 휴무
Closed 1st January, Lunar New Year, Korean Thanksgiving and Monday

TEL. 02-716-6661

마포구 토정로 312, 2층

2F, 312 Tojeong-ro, Mapo-gu

www.mapook.com

■ 가 격 PRICE

단품 Carte ₩ - ₩₩₩

■ 운영시간 OPENING HOURS

07:00-21:30 (L.O.)

■ 휴무일

ANNUAL AND WEEKLY CLOSING

설날, 추석 휴무

Closed Lunar New Year and Korean Thanksgiving

마포옥

MAPO OK

설렁탕 *Seolleongtang*

고기와 국물을 선호하는 한국인에게 설렁탕만 한 음식이 또 있을까? 서울 설렁탕 중에서도 마포식 설렁탕은 국물이 뽀얗지 않고 맑은 편이다. 1949년에 개업한 마포옥은 양지와 차돌박이, 사골로 곤 진한 국물에 두툼하게 썬 양지머리를 푸짐하게 올려 제공한다. 국물에 밥을 토렴해 내는 것도 이 집의 특징인데, 무엇보다 소고기 국물의 고소한 감칠맛과 달달한 밥의 조화가 일품이다. 여기에 배추 겉절이, 파김치, 깍두기 등 다양한 김치를 제공한다. 이 외에도 차돌 수육을 넉넉하게 얹어주는 차돌탕도 추천한다.

In the realm of Korean comfort food, there is little else more quintessential than seolleongtang — a hearty bowl of soup made by boiling ox bones and beef for hours until the broth turns almost milky white. Mapo Ok, which opened its doors in 1949, makes its signature dish by boiling brisket and ox bones until slightly opaque. The ox bone soup is served with thick slices of tender brisket and rice already mixed into the piping hot broth. Ask for a side of kimchi juice to season your soup for that extra dimension of flavor.

Mapo Ok

스바루
SUBARU
소바 *Soba*

'고객에게 최고의 소바를 제공하겠다'는 일념으로 끊임없는 노력과 연구를 병행해 온 강영철 오너 셰프. 그는 오랫동안 일본에서 생활하면서 일본식 메밀 면의 매력에 눈을 뜬 후 소바를 위한 한길만을 걸어왔다. 소바의 맛과 식감을 좌우하는 요소 중 가장 높은 비중을 차지하는 것이 바로 메밀의 비율이다. 강 셰프는 밀과 메밀이 2:8 비율인 니하치 스타일의 소바를 고수하며 전통의 맛을 이어가고 있다. 일본식 메밀 면의 매력을 제대로 느껴보고 싶다면 스바루의 대표 메뉴이자 가장 기본적인 자루 소바를 추천한다.

The owner-chef at Subaru has one sole purpose and that is to serve the best-tasting soba to his customers. Like a true master committed to his craft, Chef Kang Yeong-cheol spent many years in Japan eating these noodles and honing his soba-making skills. He sticks to the classic ni-hachi-style soba, which consists of two parts wheat and eight parts buckwheat. His bestselling zaru soba shines in its utter simplicity — a must-try at Subaru.

TEL. 02-336-4860
마포구 신촌로 16길 34
34 Sinchon-ro 16-gil, Mapo-gu

■ 가격 PRICE
단품 Carte ₩ - ₩₩

■ 운영시간 OPENING HOURS
점심 Lunch 11:30-14:30 (L.O.)
저녁 Dinner 17:30-20:30 (L.O.)

■ 휴무일
ANNUAL AND WEEKLY CLOSING
1월 1일, 설날, 추석, 월요일 휴무
Closed 1st January, Lunar New Year, Korean Thanksgiving and Monday

역전회관
YUKJEON HOEKWAN

불고기 *Bulgogi*

80

TEL. 02-703-0019

마포구 토정로37길 47

47 Tojeong-ro 37-gil,
Mapo-gu

■ 가격 PRICE

단품 Carte ₩ - ₩₩

■ 운영시간 OPENING HOURS

점심 Lunch 11:00-14:30 (L.O.)
저녁 Dinner 17:00-21:20 (L.O.)
주말 Weekend 11:00-21:00 (L.O.)

■ 휴무일
ANNUAL AND WEEKLY CLOSING

5월 1일, 설날, 추석 휴무
Closed 1st May, Lunar New Year and Korean Thanksgiving

1962년에 '역전식당'으로 시작해 90년대에 '역전회관'으로 상호를 변경한 50년 전통의 한식 레스토랑. 이곳의 명물은 국물 없이 바삭하게 즐기는 바싹 불고기로, 메뉴명을 특허청에 등록한 바싹 불고기의 원조라 할 수 있다. 활활 타오르는 센 불에 구웠지만 촉촉한 육즙과 부드러운 식감이 그대로 살아 있는 고기에 달지 않은 양념 맛이 일품으로 보통 맛과 매운맛 중 선택이 가능하다. 이곳은 4층 건물 전체를 사용하므로 넓은 공간에서 편안한 식사를 즐길 수 있지만 그래도 저녁 시간에는 예약하고 올 것을 추천한다.

Three generations spanning five decades have kept this restaurant in business since its opening in 1962. At the time, their iconic crispy thin-sliced bulgogi, grilled over open flames, was all that was offered on the menu. The dish became so popular that the name "bassak bulgogi" was patented. Today, the restaurant stands four stories high, still serving the same dish that has fed generations. Their coagulated beef blood soup with a clear broth is another stunner.

오레노 라멘
ORENO RAMEN

라멘 *Ramen*

국내에서 외국 음식의 대중화는 곧 현지화의 성공을 의미한다. 진입 장벽이 낮은 대중음식의 경우 더욱더 그러하다. 신동우 셰프는 오랜 시간에 걸쳐 축적한 라멘 비즈니스 노하우로 정통성과 대중성이라는 두 마리 토끼를 모두 잡았다. 진한 닭 육수가 매력적인 토리파이탄과 깔끔하면서도 깊은 맛을 자랑하는 쇼유 라멘에서 그가 추구하는 색깔이 뚜렷이 드러난다. 신 셰프는 라멘의 생명인 육수와 면을 매일매일 만들어내며 끊임없는 테스팅으로 품질 유지에 심혈을 기울인다. "스스로에게 떳떳한 라멘을 만들고 싶다"는 그의 말에서 자부심이 엿보인다.

Foreign foods are not always embraced by local diners. In fact, authenticity is often shunned by many due to its sheer "foreignness." But for chef Shin Dong-woo, years of experience in the ramen business has led him to success, and he did it by introducing the authentic flavors of Japanese ramen to local consumers. The restaurant's tori paitan ramen, with its rich, velvety-smooth chicken stock, and the shoyu ramen, clean yet deeply flavorful, are good examples of Shin's ramen know-how. The fresh noodles and stocks are prepared in the kitchen, daily.

TEL. 02-322-3539

마포구 독막로6길 14

14 Dongmak-ro 6-gil, Mapo-gu

■ 가격 PRICE

단품 Carte ₩

■ 운영시간 OPENING HOURS

점심 Lunch 11:30-14:40 (L.O.)

저녁 Dinner 17:00-20:30 (L.O.)

TEL. 010-5571-9915

마포구 양화로 7길 44-10

44-10 Yanghwa-ro 7-gil, Mapo-gu

■ 가 격 PRICE

단품 Carte ₩

■ 운영시간 OPENING HOURS

점심 Lunch 11:00-14:30 (L.O.)

저녁 Dinner 17:00-21:30 (L.O.)

주말,공휴일 Weekend and Public Holiday

11:00-20:30 (L.O.)

■ 휴무일

ANNUAL AND WEEKLY CLOSING

1월 1일 휴무

Closed 1st January

옥동식
OKDONGSIK

돼지국밥 *Dwaeji-Gukbap*

돼지국밥에 대한 선입견을 완전히 뒤엎어버린 옥동식. 이곳의 돼지국밥 또는 돼지 곰탕은 지리산 버크셔 K 흑돼지의 앞다리와 뒷다리 살만을 고아 육수가 유난히 맑은 것이 특징이다. 한소끔 김을 뺀 밥과 80%만 익혀 얇게 썬 고기를 방짜유기에 담은 후 뜨거운 육수를 부으면 고기는 마저 익고, 육수는 더 깊게 우러나 담백하면서도 진한 감칠맛을 낸다. 특곰탕은 고기 양이 두 배다. 10석밖에 없는 작은 공간에 1일 100그릇만 한정 판매하고 있으니 방문을 서두르기 바란다.

With his take on "dwaeji-gukbap," Chef Ok Dong-sik has managed to singlehandedly change any preconceptions the local diners previously had about the hearty pork and rice soup dish Koreans hold near and dear to their hearts. Think bacon-thin slices of silky tender pork meat piled on a bed of rice, all submerged in his trademark consommé-like clear broth. The "extra large" portion comes with double the amount of meat. The space is limited and only 100 bowls of gukbap are sold daily so get here early.

정육면체 N
TASTY CUBE

국수 *Noodles*

정육면체(情肉麵體)'는 각각 '마음'과 '고기', '국수', '식당'을 뜻하는 한자를 조합해 만든 이름이다. 오로지 다양한 면 요리를 선보이고 싶어 친구들끼리 의기투합하여 만든 작은 공간이다. 사골과 소고기를 장시간 고아 만든 육수가 베이스인 우육면, 땅콩과 깨를 갈아 넣은 고소한 즈마장을 곁들인 깨부수면이 이곳의 간판 메뉴다. 현재는 동남아식 면 요리와 중식 위주의 메뉴를 제공하고 있지만, 점차 다른 문화권의 면 요리도 선보일 예정이라고 한다. 식당에서 직접 뽑은 생면의 쫄깃한 식감이 돋보이는 재기 발랄한 면 요리를 즐길 수 있는 곳이다. 전 좌석이 오픈형 주방을 에워싸고 있는 카운터석이다.

A combination of Chinese characters for "heart," "meat," "noodles" and "restaurant" make up the four-syllable name Jeongyukmyeonche. The cozy space, which only offers bar seating facing the open kitchen, is the brainchild of a group of friends who wanted to launch an eatery that focuses on a wide array of noodle dishes. Although Chinese and Southeast Asian flavors dominate the menu at present, the owners say the plan is to eventually introduce noodle dishes from other cultures as well. Signature dishes include beef noodle soup and noodles dressed with zhi ma jiang, a savory paste made with crushed sesame seeds.

TEL. 070-4179-3819

서대문구 연세로 5다길 22-8

22-8 Yeonsei-ro 5da-gil, Seodaemun-gu

■ 가 격 PRICE

단품 Carte ₩

■ 운영시간 OPENING HOURS

11:00-20:30 (L.O.)

■ 휴무일
ANNUAL AND WEEKLY CLOSING

설날, 추석 휴무

Closed Lunar New Year and Korean Thanksgiving

진진
JIN JIN
중식 *Chinese*

중식의 대중화를 위해 40년 동안 힘써온 왕육성 셰프의 차이니즈 레스토랑. 방대한 메뉴가 일반적인 중식당의 패러다임에서 벗어나 10가지의 단출한 메뉴를 선보이는 이유는 맛과 품질을 일관되게 유지하기 위해서라고 한다. 고품격 요리를 합리적인 가격에 맛볼 수 있는 진진의 대표 메뉴로는 멘보샤, 대게살 볶음, 마파두부, 카이란 소고기 볶음 등을 꼽을 수 있다. 한편, 본점은 저녁 시간에만 운영하며, 재료 수급 상황에 따라 영업을 일찍 종료하기도 한다. 현재 서교동 본점 외에 여러 곳의 분점을 운영하고 있다.

For over 40 years, Chef Wang Yuk-sung has been committed to popularizing Chinese cuisine in Korea. Unlike most generic Korean-style Chinese restaurants ubiquitous to Seoul, Chef Wang offers a limited menu of just ten dishes to ensure that the quality of the food he serves is consistently high. Some of the most requested dishes include shrimp toast, stir-fried crab meat with egg white, mapo tofu and stir-fried beef with gai lan. There are other locations of Jin Jin in Seoul. The original in Seogyo-dong is only open for dinner.

TEL. 070-5035-8878

마포구 잔다리로 123

123 Jandari-ro, Mapo-gu

■ 가 격 PRICE

저녁 Dinner

단품 Carte ₩ - ₩₩₩

■ 운영시간 OPENING HOURS

저녁 Dinner 17:00-23:00 (L.O.)

■ 휴무일

ANNUAL AND WEEKLY CLOSING

월요일 휴무

Closed Monday

툭툭 누들 타이
TUK TUK NOODLE THAI

타이 *Thai*

현지에서 경험할 수 있는 정통의 맛을 국내에서도 즐길 수 있다는 것은 참으로 반가운 일이다. 임동혁 사장과 태국인 셰프가 의기투합해 오픈한 툭툭 누들 타이는 바로 이러한 취지로 탄생한 태국 음식 전문점이다. 이곳에선 레몬 그라스와 고수, 라임과 코코넛 밀크 등 태국 음식에서 빠질 수 없는 재료를 이용해 특유의 시큼 달달한 맛의 음식을 선보인다. 셰프의 넉넉한 인심과 태국 현지의 분위기를 느낄 수 있어 더욱 매력적인 이곳에서 파란색 툭툭(Tuk Tuk)과 함께 이국의 정취를 느껴보길 바란다.

Authenticity is the name of the game at Tuk Tuk Noodle Thai, a collaborative effort between a local Korean owner and a native Thai chef to bring the real flavors of Thailand to Korea. The components that make up a typically Thai meal — the colors, textures, scents, flavors and the ambience — are present from start to end. Old favorites from the previous menu, excluded from the newly updated menu at the new location, are served upon request.

10

TEL. 070-4407-5130

마포구 성미산로 161-8

161-8 Seongmisan-ro, Mapo-gu

www.tuktukthai.co.kr

■ 가격 PRICE

단품 Carte ₩ - ₩₩

■ 운영시간 OPENING HOURS

점심 Lunch 11:30-15:00 (L.O.)

저녁 Dinner 17:00-21:00 (L.O.)

■ 휴무일

ANNUAL AND WEEKLY CLOSING

설날, 추석 휴무

Closed Lunar New Year and Korean Thanksgiving

TEL. 02-322-4822

마포구 양화로 1길 21, 2층

2F, 21 Yanghwa-ro 1-gil, Mapo-gu

■ 가 격 PRICE

단품 Carte ₩ - ₩₩

■ 운영시간 OPENING HOURS

11:00-20:00 (L.O.)

■ 휴무일

ANNUAL AND WEEKLY CLOSING

1월 1일, 설날, 추석, 일요일 휴무

Closed 1st January, Lunar New Year, Korean Thanksgiving and Sunday

합정옥
HAPJEONGOK

곰탕 *Gomtang*

합정옥의 시작은 시아버지께서 손수 끓여 드시던 곰탕과 수육 맛에서 비롯됐다. 시아버지가 훗날 대표가 된 며느리에게 "곰탕집 한번 차려볼까?" 라고 말한 것이 계기가 되어 오늘에까지 이르게 된 것. 진한 국물과 은은한 육 향, 토렴해 내오는 달달한 밥과 야들야들한 소고기, 그리고 내포까지, 이곳 음식은 푸짐함을 미덕으로 삼고 있다. 또한 구수한 된장국에 달큰한 배추속대를 넣어 끓인 속댓국의 시원한 맛도 일품이다. 하루에 탕 100인분 정도만 준비하며, 재료 소진 시엔 영업을 종료한다.

Hapjeongok is a restaurant born of nostalgia. As they were reminiscing one day on the father-in-law's beef bone soup and boiled beef slices, the latter suggested to his daughter-in-law that they should open a beef bone soup restaurant. The establishment stays true to the inspiration — deeply flavorful beef broth, rice rendered soft and sweet in the piping hot soup, tender slices of beef, and a generous serving of boiled offal. The restaurant's cabbage soybean paste soup is also a must try. Only around 100 portions of soup are served daily, so go early.

[Dongdaemun Design Plaza, Jung-gu, Seoul, Korea]

황금콩밭
HWANGGEUM KONGBAT

두부 *Dubu*

100% 국내산 콩과 소금으로 매일 새벽 당일 판매할 두부를 만드는 아현동 뒷골목의 두부 전문점. 황금콩밭의 두부는 진한 두유와 소량의 간수를 사용해 콩 특유의 고소하면서도 달달한 맛과 우유처럼 부드러운 식감을 자랑한다. 출판사를 운영하는 작가 출신의 윤태현 대표는 본인이 즐기는 건강한 음식을 주변 사람들과 나누고픈 마음에 손수 담근 청국장과 전통 탁주도 함께 판매한다. 두부 전문점이지만 제주 무항생제 돼지고기 보쌈과 자연산 우럭찜도 이곳의 별미다.

Tucked away in a small alley in Ahyeon-dong, this hidden gem specializes in rustic homemade bean curd. The unctuously creamy bean curd is made from scratch, daily, at the crack of dawn. The secret to the elevated nuttiness of local soybeans that shine through in Hwanggeum Kongbat's bean curd is the extra thick soymilk and reduced levels of the coagulant. With a desire to share healthy food with other people, the proprietor also makes and sells homemade rich soybean paste stew and unrefined rice wine.

20

TEL. 02-313-2952

마포구 굴레방로 1길 6

6 Gullebang-ro 1-gil, Mapo-gu

■ 가격 PRICE

단품 Carte ₩ - ₩₩₩

■ 운영시간 OPENING HOURS

점심 Lunch 11:30-14:30 (L.O.)
저녁 Dinner 17:00-21:00 (L.O.)
주말 Weekend 11:30-20:00 (L.O.)

■ 휴무일
ANNUAL AND WEEKLY CLOSING
설날, 추석 휴무
Closed Lunar New Year and Korean Thanksgiving

마포구 & 서대문구 MAPO-GU & SEODAEMUN-GU

랑빠스 81
L'IMPASSE 81
프렌치 *French*

TEL. 070-7779-8181

마포구 동교로30길 17-1

17-1 Donggyo-ro 30-gil, Mapo-gu

■ 가격 PRICE

단품 Carte ₩₩ - ₩₩₩

■ 운영시간 OPENING HOURS

점심 Lunch 12:00-14:30 (L.O.)
저녁 Dinner 17:00-23:00 (L.O.)
금요일,토요일 Friday and Saturday 17:00-01:00 (L.O.)
일요일 Sunday 17:00-22:00 (L.O.)

■ 휴무일
ANNUAL AND WEEKLY CLOSING
설날, 추석 휴무
Closed Lunar New Year and Korean Thanksgiving

연트럴파크의 한적한 골목길에 위치한 랑빠스 81은 2015년에 오픈한 프렌치 다이닝 바다. 프랑스어로 '막다른 골목'을 의미하는 이 레스토랑은 한국인에게는 다소 생소할 수 있는 샤르퀴트리를 직접 만들어 합리적인 가격에 제공한다. 샤르퀴트리는 프랑스인들이 즐겨 먹는 육가공 제품을 일컫는 말로, 다양한 종류의 햄과 소시지를 포함한다. 염장해 건조시켜야 하는 일부 제품은 6개월에서 1년 정도 숙성시키는데, 특유의 진한 감칠맛을 자랑한다. 한편, 제주도에서 직접 공수한 빈티지 가구가 레스토랑에 멋스러움을 더해준다.

The world of charcuterie is still pretty much unexplored territory in Korea, so when a restaurant like L'Impasse 81 makes its own prepared meat products à la Française from scratch, that alone is reason enough for excitement. This cozy French dining bar is homey and comforting, just like the menu it offers. Try their signature sausages including boudins and merguez as well as their pâtés and rillettes, which are especially hard to come by in Seoul, and can be enjoyed at reasonable prices.

롱침
LONG CHIM
타이 *Thai*

누구든지 편하게 와서 맛보라'는 의미를 지닌 '롱침'. 호주 출신 셰프 데이비드 톰슨의 첫 번째 서울 식당이자 세계적으로는 다섯 번째 롱침이 라이즈 호텔 4층에 문을 열었다. 편안하게 즐길 수 있는 태국 요리를 세련되게 풀어내는 그의 요리가 모던하면서도 디자인적 요소가 가득한 공간에서 더욱 빛을 발한다. 이곳은 태국에서 직접 공급받는 식재료를 사용하는 까닭에 방콕 현지에서 먹는 음식 맛을 그대로 느낄 수 있다. 진하고 부드러운 코코넛 향, 산뜻한 카피르 라임 향 등 한국인에게는 다소 생소한 향에 어우러진 단맛, 짠맛, 신맛, 매운맛, 씁싸래한 맛의 강렬한 조화에 중독될 것이다.

Meaning "come and taste" in Thai, Long Chim Seoul is Australian Chef David Thompson's fifth overseas outpost. The restaurant offers its diners a taste of authentic Thai flavors using ingredients and produce imported from Thailand. The heady aroma of fresh herbs, the rich and creamy coconut-based sauces, and the explosion of flavors — bitter, sweet, salty, sour, and spicy — are all present and will blow you away with their intensity. The space itself is hip and modern, featuring the hotel's trademark design elements.

14

TEL. 02-330-7800

마포구 양화로 130, 라이즈 호텔 4층

4F Ryse Hotel, 130 Yanghwa-ro, Mapo-gu

www.rysehotel.com/long-chim

■ 가격 PRICE

단품 Carte ₩₩ - ₩₩₩

■ 운영시간 OPENING HOURS

점심 Lunch 12:00-14:00 (L.O.)
저녁 Dinner 18:00-21:30 (L.O.)

P 35

TEL. 02-716-8616

마포구 새창로 6

6 Saechang-ro, Mapo-gu

■ 가격 PRICE

단품 Carte ₩ - ₩₩

■ 운영시간 OPENING HOURS

07:00-21:50 (L.O.)

마포 양지 설렁탕
MAPO YANGJI SEOLLEONGTANG

설렁탕 *Seolleongtang*

1974년에 문을 연 마포구의 터줏대감 '마포 양지 설렁탕'이 더 쾌적하고 넓은 2층 공간으로 새 단장을 마쳤다. 내부는 바뀌었지만 이곳 특유의 맑고 깔끔한 설렁탕 맛은 한결같다. 잡내 없이 맑은 국물에 푹 끓인 사골의 고소함, 그리고 양지머리의 달달함이 잘 어우러진다. 뜨끈한 국물에 밥 한 공기를 말아 달큼한 파김치를 얹어 먹으면 든든한 한 끼가 완성된다.

Mapo Yangji Seolleongtang ushers in a new era with its newly renovated two-story space. The restaurant, which first opened its doors in 1974, has been a long-time favorite among the local crowd for its hearty bowls of ox bone soup, a time-honored quickly-prepared local food, as well as the ultimate comfort food. The soup is a rich and savory blend of broth made from beef shank and brisket. Submerge a bowl of warm rice in the piping hot soup and enjoy it with a side of sweet and fragrant green onion kimchi.

서교고메
SEOGYO GOURMET

한식 *Korean*

최지형 셰프의 첫 번째 레스토랑인 서교고메. 최 셰프는 국내외의 다양한 경험을 통해 폭넓은 시야를 얻었지만, 결국 가장 익숙하고 편안한 한식으로의 복귀를 택했다. 함경도가 고향인 외가 덕분에 그는 어렸을 때부터 자연스럽게 순대를 접하고, 만드는 방법도 배웠다. 한편, 이곳 주방 팀원들의 다양한 요리 경력은 서교고메만의 개성 있는 한식으로 이어지며, 적당한 틀 안에서 창의성을 발휘한다. 한식 비스트로에 어울리는 친근한 메뉴들이 주를 이루고 있으며, 그중 순대는 서교고메의 정체성을 잘 보여준다.

At Seogyo Gourmet, Chef Choi Ji-hyeong serves up dishes that are close to his heart, including sundae. As a young boy, he grew up eating and making abai-sundae — blood sausage stuffed with glutinous rice, vegetables and pig's blood. It's a specialty of Hamgyeongdo Province in North Korea where his maternal family hails from. By staying true to his grandmother's recipe, he pays homage to his family's history. Together with his team, the Eleven Madison Park-trained chef offers familiar local dishes with a whimsical twist.

TEL. 02-332-3626

마포구 월드컵로 14길 19

19 World cup-ro 14-gil, Mapo-gu

■ 가격 PRICE

점심 Lunch

단품 Carte ₩ - ₩₩

저녁 Dinner

단품 Carte ₩ - ₩₩₩

■ 운영시간 OPENING HOURS

점심 Lunch 11:30-13:45 (L.O.)

저녁 Dinner 18:00-21:30 (L.O.)

토요일 Saturday 12:00-21:30 (L.O.)

■ 휴무일

ANNUAL AND WEEKLY CLOSING

설날, 추석, 일요일 점심 휴무

Closed Lunar New Year, Korean Thanksgiving and Sunday Lunch

이치류
ICHIRYU

바비큐 *Barbecue*

TEL. 02-3144-1312

마포구 잔다리로3안길 44

44 Jandari-ro 3an-gil, Mapo-gu

■ 가 격 PRICE

저녁 Dinner
단품 Carte ₩₩

■ 운영시간 OPENING HOURS

저녁 Dinner 17:00-22:00 (L.O.)
일요일, 공휴일 Sunday and public holiday 17:00-21:00 (L.O.)

■ 휴무일
ANNUAL AND WEEKLY CLOSING
설날, 추석 휴무
Closed Lunar New Year and Korean Thanksgiving

'일류'를 의미하는 일본어 이치류. 국내 최초의 삿포로식 양구이 전문점으로, 1년 미만의 호주산 생 양고기만을 취급하며, 삿포로에서 직접 공수한 칭기즈칸 불판과 인체에 무해한 비장탄을 사용해 고기를 굽는다. 숙련된 직원들이 돌아가면서 빠른 손놀림으로 고기를 직접 구워주기 때문에 양고기에 익숙지 않은 고객도 편안하게 즐길 수 있다. 바 형식의 그릴 테이블은 즐거운 식사 분위기에 한몫하는 이치류 본점만의 개성으로, 양고기를 즐기기에 더없이 훌륭하다.

Meaning "first class" in Japanese, Ichiryu offers an authentic taste of a Sapporo-style grilled lamb dish prepared on a convex metal skillet. The restaurant, the first of its kind in Korea, only handles young Australian lamb under a year old, and uses skillets imported from Sapporo. The efficient chefs behind the counter make sure the meat is grilled to perfection. Counter seating makes for a casual and interactive dining experience.

12

진미식당
JINMI SIKDANG

게장 *Gejang*

간장게장 한 가지만을 자신 있게 선보이는 게장 전문점으로, 이곳에선 최상급의 서해안 꽃게만을 사용한다. 진미식당이 10년 넘게 꾸준한 사랑을 받을 수 있었던 비법은 바로 재료의 품질과 변함없는 맛에 대한 고집이다. 그간 정치인과 연예인을 비롯해 이곳을 다녀간 수많은 유명 인사들의 자취와 세월의 흔적이 소박한 식당 곳곳에 남아 있다. 이곳은 당일 판매할 양만큼만 그때그때 준비하기 때문에 혹여 늦은 시간에 가면 동날 수도 있으니 가급적이면 예약 후 방문하기를 권한다.

This humble yet busy restaurant has been serving raw soy-marinated crabs and nothing else for the past decade. Only the freshest local blue swimmer crabs, sourced from the west coast, are prepared daily with the kitchen's special recipe soy sauce marinade. Keep in mind that just enough crab for consumption is prepared each day, so if you drop by at a late hour, they may be completely sold out. A prior reservation is highly recommended.

TEL. 02-3211-4468

마포구 마포대로 186-6

186-6 Mapo-daero, Mapo-gu

■ 가격 PRICE

단품 Carte ₩₩

■ 운영시간 OPENING HOURS

점심 Lunch 11:30-14:30 (L.O.)
저녁 Dinner 17:00-21:00 (L.O.)
토요일 Saturday 17:00-20:00 (L.O.)

■ 휴무일
ANNUAL AND WEEKLY CLOSING
일요일, 공휴일 휴무
Closed Sunday and Public Holidays

TEL. 02-3142-6362

서대문구 연희로 173, 2층

2F, 173 Yeonhui-ro, Seodaemun-gu

www.caden.co.kr

■ **가 격 PRICE**

단품 Carte ₩ - ₩₩₩

■ **운영시간 OPENING HOURS**

점심 Lunch 11:30-14:00 (L.O.)

저녁 Dinner 17:30-21:00 (L.O.)

■ **휴무일**

ANNUAL AND WEEKLY CLOSING

1월 1일, 설날, 추석, 일요일 휴무

Closed 1st January, Lunar New Year, Korean Thanksgiving and Sunday

카덴
CADEN

일식 *Japanese*

항상 새로운 변화를 모색하는 이자카야 로바다야 카덴. 일식의 다양성을 보여주는 카덴의 단품 메뉴는 2층에서 꾸준하게 선보이고, 1층 우동 카덴에서는 가벼운 식사를 원하는 손님들을 위해 다양한 우동 메뉴를 제공한다. 신선한 재료로 만든 수준 높은 요리를 합리적인 가격에 제공해 그 어느 때보다 다양한 고객층의 발길이 줄을 잇는 이곳 카덴엔 사케를 포함한 각종 일본 주류도 갖춰져 있다.

Chef Jeong Ho-yeong's Izakaya Robataya Caden is always striving to evolve. The chef presents his famous udon dishes served on the first floor. The spacious second-floor dining hall continues to serve up the restaurant's signature dishes for lunch as well, including the crispy grilled sea bream, mixed sashimi platter, grilled avocados dressed with soy sauce and spicy brisket champon. In addition to the wide selection of à la carte dishes, Caden also offers a good variety of Japanese liquor.

마포구 & 서대문구 MAPO-GU & SEODAEMUN-GU

호텔
HOTELS

라이즈
RYSE

2018년 4월, 홍대입구역에 새롭게 문을 연 라이즈 호텔. 옛 서교호텔 부지에 지어진 이곳은 홍대 인근의 독특한 문화와 예술을 반영한 컨템퍼러리 부티크 호텔이다. 세계적인 명성의 디자이너들과 협업한 호텔답게 곳곳에서 독특한 디자인과 예술 작품을 감상할 수 있는데, 마치 갤러리에 와 있는 듯한 느낌을 준다. 15층에 가면 1천여 종의 LP 컬렉션을 갖추고 있는 실내 레코드 바와 홍대 일대의 전경을 바라보며 칵테일을 마실 수 있는 루프톱 바를 경험할 수 있다. 그야말로 젊음의 낭만과 예술적 감각을 만끽하기에 제격인 곳이다.

RYSE Autograph Collection is a contemporary boutique hotel located in the Hongdae district, one of the youngest and most vibrant areas of Seoul. Embodying the eclectic culture and the artistic vibe of the area, the hotel, decorated in collaboration with world-renowned designers, features an exclusive selection of design installations and artwork for visitors to admire. Make sure to pay a visit to the 15th floor which houses a vinyl bar with an impressive collection of vinyl records as well as a rooftop cocktail bar.

TEL. 02-330-7700
www.rysehotel.com

마포구 양화로 130
130 Yanghwa-ro, Mapo-gu

2인룸 평균 가격 Price for 2 persons: ₩₩

객실 Rooms 274

추천 레스토랑 Recommended restaurants:
Long Chim

jaehaklee/iStock

서초구
SEOCHO-GU

레스토랑
RESTAURANTS

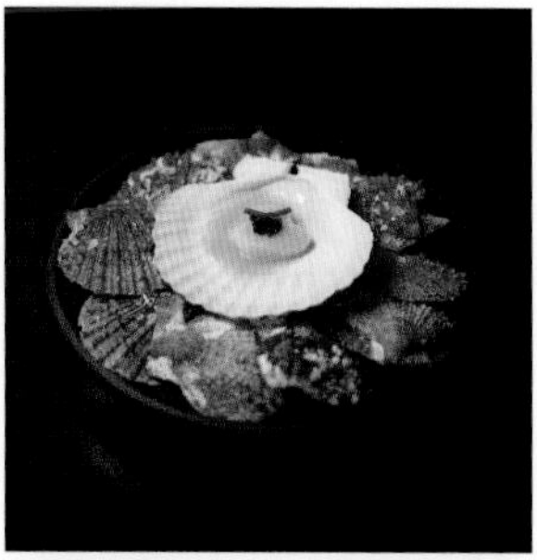

스와니예
SOIGNÉ
이노베이티브 *Innovative*

'Contemporary Cuisine of Seoul'이라는 슬로건 아래 이준 셰프와 그의 팀이 선사하는 창의적인 요리를 만날 수 있는 스와니예. 전 세계 음식으로부터 영감을 얻은 요리를 선보이지만, 기본 바탕은 한국적인 것이 특징이다. 바 형태의 좌석에 앉아 셰프들의 서빙을 받으며 교감할 수 있는 것도 이곳의 남다른 즐거움이다. 주기적으로 바뀌는 메뉴를 '에피소드'라고 표현하는데, 고유한 주제의 각 에피소드는 마치 기승전결이 있는 한 편의 시를 감상하는 듯하다. 또한 각 에피소드에 맞는 와인 페어링도 세심하게 준비되어 있다.

Meaning "well-groomed" in French, Soigné lives up to its name with its elegant menu, inspired by global cuisine with distinct undertones of Korea's culinary philosophy. Chef Lee Jun's creations are both creative and modern, but the local ingredients he uses always take on the starring roles in his meticulously curated "episodes," each with its own unique color and lyrical flow. Try the suggested wine pairings for the full gustatory experience.

TEL. 02-3477-9386

서초구 반포대로 39길 46, 지하 1층

B1F, 46 Banpo-daero 39-gil, Seocho-gu

www.soignerestaurantgroup.com

■ 가격 PRICE
점심 Lunch
코스 Menu ₩₩₩
저녁 Dinner
코스 Menu ₩₩₩₩

■ 운영시간 OPENING HOURS
점심 Lunch 12:00-13:30 (L.O.)
저녁 Dinner 18:00-19:30 (L.O.)

■ 휴무일
ANNUAL AND WEEKLY CLOSING
설날, 추석 휴무
Closed Lunar New Year and Korean Thanksgiving

TEL. 070-5025-3837

서초구 반포대로 4길 12

12 Banpo-daero 4-gil, Seocho-gu

■ 가 격 PRICE

점심 Lunch

코스 Menu ₩₩₩

저녁 Dinner

코스 Menu ₩₩₩₩

■ 운영시간 OPENING HOURS

점심 Lunch 12:00-13:30 (L.O.)

저녁 Dinner 18:00-21:00 (L.O.)

■ 휴무일

ANNUAL AND WEEKLY CLOSING

설날, 추석, 월요일 휴무

Closed Lunar New Year, Korean Thanksgiving and Monday

오프레
AUPRÈS

프렌치 컨템퍼러리 *French contemporary*

예술의전당 건너편에 자리하고 있는 오프레는 정통 프렌치 레스토랑이다. 어린 시절부터 프랑스 요리와 문화에 유독 관심이 많았던 이지원 셰프는 자연스럽게 요리사의 길을 걷게 되었는데, 프랑스에서의 수련 및 유학 생활이 그에게 셰프로서 나아갈 방향을 제시해주었다. 오프레의 음식에선 기본에 충실한 자연스러움이 묻어난다. 또한 클래식 프렌치 퀴진 전통에 셰프의 개성을 덧입힌 메뉴에선 오프레만의 감성이 물씬 풍긴다. 이곳의 깔끔한 인테리어에서도 오로지 요리만이 주인공이 되길 바라는 셰프의 의도가 그대로 느껴진다.

Located in a small alley, a stone's throw from Seoul Arts Center, is Auprès, a classic French restaurant owned and operated by Chef Lee Ji-won. An early love affair with French culture and food led him to choose a career in cooking, and he pursued his dream by studying and honing his skills in France. The chef's respect for tradition is clearly reflected in the menu, the techniques he uses, and the presentation of his food. But he also brings his own personal style to the table, which is what gives Auprès its distinct charm.

테이블 포 포
TABLE FOR FOUR
유러피언 컨템퍼러리
European contemporary

세련되고 섬세한 플레이팅이 돋보이는 김성운 셰프의 테이블 포 포(Table for Four)는 '4명을 위한 식탁'을 의미하는 예약제 파인 다이닝 레스토랑이다. 이곳에선 김 셰프의 고향인 충남 태안에서 조달하는 자연산 해산물을 이용한 제철 코스를 선보인다. 먼저, 세련되고 아름다운 비주얼의 담음새로 먹기 전 시각을 충족시키고, 식재료 본연의 맛을 온전히 보여주는 요리로 먹는 이들의 미각을 만족시키는 것. 편안한 공간에 마련된 아담한 별실에서 식사하고 싶다면 미리 예약하는 것이 좋다.

Chef Kim Sung-woon believes in good-looking food, and it shows. For example, his signature appetizer — wafer-thin potato chips and chicken rice tuile — arrives at the table, carefully wedged into the crevices of a local pine trunk. Hailing from Taean County on the west coast where fresh seafood abounds, he sources all of the ingredients from his hometown. Naturally, the menu changes based on the seafood that's in season. Reservations are required.

3

TEL. 02-3478-0717

서초구 사평대로 14길 11, 2층

2F, 11 Sapyeong-daero 14-gil, Seocho-gu

■ 가 격 PRICE

점심 Lunch

코스 Menu ₩₩₩

저녁 Dinner

코스 Menu ₩₩₩₩

■ 운영시간 OPENING HOURS

점심 Lunch 12:00-14:00 (L.O.)

저녁 Dinner 18:00-21:00 (L.O.)

■ 휴무일

ANNUAL AND WEEKLY CLOSING

설날, 추석 휴무

Closed Lunar New Year and Korean Thanksgiving

서초구 SEOCHO-GU

목천집 (앵콜칼국수)
MOKCHEON JIP (ENCORE KALGUKSU)

칼국수 *Kalguksu*

20

TEL. 02-525-8418

서초구 효령로 52길 69

69 Hyoryeong-ro 52-gil, Seocho-gu

■ 가격 PRICE

단품 Carte ₩ - ₩₩

■ 운영시간 OPENING HOURS

10:00-20:30 (L.O.)

■ 휴무일

ANNUAL AND WEEKLY CLOSING

설날, 추석 휴무

Closed Lunar New Year and Korean Thanksgiving

많은 이들에게 '앵콜 칼국수'로 더욱 유명한 목천집. 이곳은 칼국수를 전문으로 하는 만큼 모든 면을 매일 직접 만든다. 다양한 종류의 칼국수를 제공하는데, 그중에서도 특히 매생이 칼국수의 인기가 높다. 예술의전당 앞에 자리하고 있어 공연을 즐기고 나온 손님들로 늘 인산인해를 이루는 곳이라 기다리기 지루하다면 근처에 자매 음식점인 두부 요리 전문점 백년옥에서도 식사가 가능하니 참고하기 바란다.

This humble but beloved noodle soup eatery, better known locally as Encore Kalguksu is all about freshly made hand-cut noodles. The restaurant is perennially bustling with hungry eaters that flock over for a steaming bowl of noodle soup. Help yourself to the kimchi from the communal pots laid out on the tables. If the place is full, head over to its sister, Baek Nyun Ok, located just around the corner.

미나미
MINAMI

소바 *Soba*

일식 분야에서 다양한 경험을 쌓은 남창수 셰프의 소바 전문점 미나미. 무궁무진한 일식 요리 중 굳이 소바를 선택한 이유는 부지불식간에 메밀 면 특유의 은은한 매력에 빠졌기 때문이라고 한다. 그는 일식 소바의 오랜 역사와 전통을 존중하는 동시에 자신만의 개성이 묻어나는 다양한 소바 요리를 선보이고 있다. 그윽한 불 향의 간장조림 붕장어를 올린 아나고난방과 교토에서 직접 공수한 간장조림 청어를 올린 니신난방이 이곳의 대표 메뉴다. 소바 외에 생선구이와 튀김 요리 같은 단품 요리도 제공한다.

The star of the show at Minami is Japanese-style soba noodles. Trained at the prestigious Tsuji Culinary Institute in Osaka, Japan, Chef Nam Chang-soo is no stranger to the world of Japanese cuisine, but he professes that soba is his one true love. While respecting the time-honored traditions of Japanese-style buckwheat noodles, Nam adds his own spin to the soba dishes he serves. Customer favorites include soba noodle soup topped with soy sauce-braised and grilled conger eel as well as another variety with soy sauce-braised herring imported from Kyoto.

P 8

TEL. 02-522-0373

서초구 서초대로 58길 31-2

31-2 Seocho-daero 58-gil, Seocho-gu

■ 가격 PRICE

단품 Carte ₩ - ₩₩

■ 운영시간 OPENING HOURS

점심 Lunch 11:30-14:30 (L.O.)

저녁 Dinner 17:30-20:00 (L.O.)

■ 휴무일
ANNUAL AND WEEKLY CLOSING

1월 1일, 설날, 추석, 월요일 휴무

Closed 1st January, Lunar New Year, Korean Thanksgiving and Monday

24

TEL. 02-523-2860

서초구 남부순환로 2407

2407 Nambusunhwan-ro, Seocho-gu

■ 가 격 PRICE

단품 Carte ₩ - ₩₩

■ 운영시간 OPENING HOURS

10:00-20:30 (L.O.)

■ 휴무일

ANNUAL AND WEEKLY CLOSING

설날, 추석 휴무

Closed Lunar New Year and Korean Thanksgiving

백년옥
BAEK NYUN OK

두부 *Dubu*

예술의전당 맞은편 도로변에 위치한 백년옥은 1992년 영업을 개시한 이래 많은 이들의 사랑을 받는 두부 요리 전문점이다. 세월이 고스란히 묻어나는 소박한 실내는 테이블석과 방석 자리로 나뉘어 있다. 두부 전문점답게 콩비지, 되비지, 신선한 순두부 등 여러 가지 수제 두부 요리를 선보인다. 손님들이 붐비는 식사 시간에 만석일 경우, 백년옥에서 운영하는 오래된 칼국수 전문점 목천집(앵콜 칼국수)으로 자리를 옮기는 것도 좋은 방법이다.

Located across the main road from Seoul Arts Center, Baek Nyun Ok has been attracting loyal patrons, including local performers and musicians in droves, since 1992. This humble institution specializes in fresh homemade bean curd, which is the central ingredient in a variety of dishes offered. These include plain soft bean curd and soft bean curd stew with nutty perilla seeds. The interior is simply decorated and offers both table and floor seating.

봉산옥
BONGSANOK

만두 *Mandu*

서민들의 일상에 깊숙이 자리매김한 한국의 대표적인 대중음식 중의 하나가 바로 만둣국이다. 이곳의 윤영숙 대표는 황해도 사리원 출신의 시어머니를 통해 자연스럽게 황해도식 만둣국을 접하게 되었으며, 오랜 경험을 통해 터득한 깊은 맛을 고객들에게 전하고 있다. 그녀는 삼삼하고 깔끔한 맛의 만두소를 만들기 위해 오랫동안 시어머니의 비법을 고수하고 있다. 무엇보다 '고향의 맛 혹은 어린 시절 할머니가 만들어주셨던 만둣국 맛'이라는 평을 들을 때 뿌듯함을 느낀다는 윤 대표의 말에서 자부심이 느껴진다.

Mandutguk, or Korean dumpling soup, is a dish that is deeply rooted in the day-to-day lives of Koreans. Owner Yoon Young-sook became acquainted with Hwanghaedo-style dumpling soup through her mother-in-law, a native of Sariwon, which is north of the border. To emulate the pure taste of the original dumpling filling, Yoon says she follows her recipe to the tee and feels very proud when she hears customers say her dumplings remind them of their own grandmother's.

32

TEL. 02-525-2282

서초구 반포대로 8길 5-6

5-6 Banpo-daero 8-gil, Seocho-gu

■ 가격 PRICE

단품 Carte ₩ - ₩₩

■ 운영시간 OPENING HOURS

점심 Lunch 11:00-14:30 (L.O.)

저녁 Dinner 17:00-20:50 (L.O.)

■ 휴무일
ANNUAL AND WEEKLY CLOSING

설날, 추석, 일요일 휴무

Closed Lunar New Year, Korean Thanksgiving and Sunday

양양 메밀 막국수
YANGYANG MEMIL MAKGUKSU

메밀 국수 *Memil-Guksu*

100% 순수 메밀만을 사용하고 주문을 받은 후에 제면 작업을 시작하는 것을 원칙으로 하는 것이 양양 메밀 막국수의 비결이라면 비결이다. 십 수년간 메밀 막국수 식당을 운영해온 이유도 대표 자신이 막국수를 너무 좋아해서라고. 메밀 막국수가 대표 메뉴지만 직접 담근 김치를 이용한 김치 비빔국수 또한 이곳의 별미다. 기본 상차림은 단출하지만 정성이 가득하고, 무엇보다 주력 메뉴인 막국수 맛이 변함없이 훌륭하다. 11월 김장철에는 열흘간 영업을 하지 않으니 참고하기 바란다.

The not-so-secret secret to the longevity and success of Yangyang Memil Makguksu is that its noodles are made with 100% buckwheat and that they are made to order every time. The proprietor of the restaurant began his business many years ago for one reason only - buckwheat noodles were his favorite food. Although the restaurant specializes in the Gangwon-do Province-style cold buckwheat noodles, it also makes a fine bowl of spicy noodles composed with homemade kimchi. The basic spread is simple, but it's rustic food at its best, made with love.

TEL. 02-3482-3738

서초구 동광로 15길 10

10 Donggwang-ro 15-gil, Seocho-gu

■ 가격 PRICE

단품 Carte ₩ - ₩₩

■ 운영시간 OPENING HOURS

점심 Lunch 11:00-14:30 (L.O.)
저녁 Dinner 17:00-20:30 (L.O.)

■ 휴무일
ANNUAL AND WEEKLY CLOSING
설날, 추석 휴무
Closed Lunar New Year and Korean Thanksgiving

임병주 산동 칼국수
LIMBYUNGJOO SANDONG KALGUKSU

칼국수 *Kalguksu*

곳곳에 세월의 흔적이 묻어 있는 임병주 산동 칼국수의 내·외관은 1988년에 개업한 이곳의 오랜 역사를 대변한다. 30년이 다 되어가는 이 소박한 국수 전문점은 매일 신선한 재료로 직접 만들어내는 수제 면 요리를 즐기러 오는 사람들로 인해 늘 붐빈다. 특히 손칼국수의 기분 좋은 식감과 푸짐하게 들어간 조개에서 우러나온 시원한 국물 맛이 일품이다. 더불어 평양식 왕만두과 콩국수, 물냉면과 회냉면도 이 집의 베스트셀러다. 신속하고 친절하게 응대하는 직원들의 서비스 또한 이곳을 다시 찾게 만드는 요소다.

Since 1988, this restaurant has been proving that a humble bowl of noodle soup can be truly memorable when done right. The pleasant texture of their hand-cut noodles, prepared daily from scratch, and immensely comforting broth, served piping hot and packed with flavor from the clams in all their naturally sweet glory, are stellar. Other favorites include Pyeongyang jumbo sized dumplings and noodles in cold soybean soup. Simple but warm service.

TEL. 02-3473-7972

서초구 강남대로 37길 63

63 Gangnam-daero 37-gil, Seocho-gu

■ 가 격 PRICE

단품 Carte ₩ - ₩₩

■ 운영시간 OPENING HOURS

11:00-21:00 (L.O.)

■ 휴무일
ANNUAL AND WEEKLY CLOSING
설날, 추석 휴무
Closed Lunar New Year and Korean Thanksgiving

서초구 SEOCHO-GU

TEL. 02-535-9386

서초구 동광로 99, 2층

2F, 99 Donggwang-ro, Seocho-gu

www.soignerestaurantgroup.com

■ 가 격 PRICE

점심 Lunch

코스 Menu ₩₩

단품 Carte ₩₩₩

저녁 Dinner

코스 Menu ₩₩ - ₩₩₩

단품 Carte ₩₩₩

■ 운영시간 OPENING HOURS

점심 Lunch 11:30-14:00 (L.O.)

저녁 Dinner 18:00-20:30 (L.O.)

■ 휴무일

ANNUAL AND WEEKLY CLOSING

설날, 추석 휴무

Closed Lunar New Year and Korean Thanksgiving

도우룸
DOUGHROOM

이탤리언 컨템퍼러리
Italian contemporary

100% 수제 파스타 면을 전문으로 하는 이탤리언 레스토랑. 영어로 '반죽'이라는 의미의 '도우'에서 이름을 딴 이곳에서 가장 주목해야 하는 곳은 파스타를 만드는 도우룸이다. 10가지 종류의 파스타를 제공하며, 포장 판매도 겸하고 있다. 레스토랑의 반 이상을 차지하고 있는 오픈 키친은 주방과 손님과의 거리를 최소화하고 음식의 맛에 대한 손님들의 반응을 실시간으로 확인하고 싶은 셰프의 마음을 반영했다. 정통 이탤리언 파스타 외에도 메밀과 곰취를 이용한 한국적인 파스타도 맛볼 수 있다.

Dedicated to making artisanal pasta from scratch, Doughroom is a keeper for all Italian food lovers. The dough room itself, where all the pastas are made fresh daily, is undoubtedly the heart of the restaurant. While offering authentic flavors of Italy, it also serves fusion dishes using ingredients familiar to the local palate — for example, their buckwheat cannelloni. Asking for the action-packed dough room table when making a reservation is highly recommended.

Imagine your Korea
What's your dream trip to Korea?
[Hanok(Myeongjae House), Nonsan, Korea]

라 모라
LA MORRA
이탤리언 *Italian*

소믈리에와 셰프 형제가 운영하는 라 모라는 서래마을의 작은 골목에 자리한 이탤리언 레스토랑이다. 심플한 인테리어에선 고급스러움이 묻어나며, 모던하면서도 클래식한 느낌을 준다. 느릅나무 고재로 만든 테이블과 그 위에 놓인 명품 식기에서 형제 오너의 취향을 엿볼 수 있다. 이탈리아의 다양한 지역 요리를 맛볼 수 있는 이곳의 추천 메뉴는 저온 조리해 식감이 연하고 육즙이 풍부한 토스카나 지방의 대표 음식인 피오렌티나 스테이크다. 한편, 레스토랑 한쪽에 작은 바도 마련되어 있다

Owned and operated by two brothers, La Morra is an Italian restaurant tucked away in a quiet alley in Seoraemaeul. It specializes in cuisine from different regions of Italy — some authentic and some less so, with more of a Pan-European influence. The interior is understated urban chic, accentuated by details such as custom-designed tables and elegant tableware. A highly-recommended specialty here is the Bistecca alla Fiorentina, the classic Tuscan-style beef steak that is sure to make you swoon.

10

TEL. 02-595-3997

서초구 동광로 39길 50, 2층

2F, 50 Donggwang-ro 39-gil, Seocho-gu

■ 가 격 PRICE

단품 Carte ₩₩₩ - ₩₩₩₩

■ 운영시간 OPENING HOURS

점심 Lunch 12:00-14:00 (L.O.)

저녁 Dinner 18:00-21:00 (L.O.)

■ 휴무일
ANNUAL AND WEEKLY CLOSING

1월 1일, 설날, 추석, 일요일 휴무

Closed 1st January, Lunar New Year, Korean Thanksgiving and Sunday

서초구 SEOCHO-GU

버드나무집
BUDNAMUJIP
바비큐 *Barbecue*

버드나무집은 1977년부터 명맥을 이어온 한우 구이 전문점이다. 초창기엔 주물럭만을 판매했지만, 지금은 소갈비와 특수 부위도 제공한다. 오랜 세월 한자리를 지켜온 동네 터줏대감답게 한 집안의 3대가 단골인 경우도 많다고 한다. 간장을 전혀 사용하지 않고 천일염으로만 간한 암소 갈비는 특유의 부드러운 육질과 고소한 풍미를 자랑한다. 조미료를 넣지 않은 깔끔하고 삼삼한 반찬 역시 이곳만의 매력이다.

Since 1977, this family-style restaurant has garnered an appreciative following of barbecue lovers, often seeing three generations of loyal patrons from one family frequenting the shop. A popular locality for residents south of the river, it specializes in various cuts of meat exclusively from the cow including ribs, sirloin and tripe. The rich flavors of the exceptionally tender meat is enhanced simply with quality bay salt.

60

TEL. 02-3473-4167

서울시 서초구 효령로 434

434 Hyoryeong-ro,
Seocho-gu

■ 가격 PRICE

코스 Menu ₩₩

단품 Carte ₩ - ₩₩₩₩

■ 운영시간 OPENING HOURS

11:00-21:00 (L.O.)

스시만
SUSHI MAN
스시 *Sushi*

국내 일식 업계에서 다양한 경험을 쌓은 김정기 셰프가 지휘하고 있는 스시만. 실내외의 크고 작은 리노베이션을 통해 레스토랑도 새로운 분위기로 탈바꿈했다. 예전에 '스시만' 하면 바로 '숙성 스시'가 떠올랐지만 지금은 기본에 충실하되 보다 섬세해진 김 셰프만의 스시를 맛볼 수 있다. 점심과 저녁 각각 세 종류의 스시 오마카세가 준비되어 있으며, 테이크아웃도 가능하다.

Known as the restaurant that serves aged sushi, Sushi Man went through some major changes. The most notable was the change in the style of sushi served at the restaurant. The décor also went through some partial remodeling and now features the best of the old and the new. Three different kinds of omakase options are offered for lunch and dinner. Sushi is also available for takeout.

9

TEL. 02-533-0181

서초구 동광로27길 3

3 Donggwang-ro 27-gil, Seocho-gu

■ 가격 PRICE

점심 Lunch
코스 Menu ₩₩₩

저녁 Dinner
코스 Menu ₩₩₩₩

■ 운영시간 OPENING HOURS

점심 Lunch 12:00-13:30 (L.O.)
저녁 Dinner 18:00-20:00 (L.O.)

■ 휴무일
ANNUAL AND WEEKLY CLOSING
설날, 추석 휴무
Closed Lunar New Year and Korean Thanksgiving

14

TEL. 02-534-9544

서초구 동광로 164

164 Donggwang-ro, Seocho-gu

www.julyrestaurant.com

■ 가격 PRICE

점심 Lunch

코스 Menu ₩₩₩

저녁 Dinner

코스 Menu ₩₩₩₩

■ 운영시간 OPENING HOURS

점심 Lunch 12:00-13:30 (L.O.)

저녁 Dinner 18:00-20:00 (L.O.)

■ 휴무일

ANNUAL AND WEEKLY CLOSING

1월 1일, 설날, 추석, 일요일, 월요일 휴무

Closed 1st January, Lunar New Year, Korean Thanksgiving, Sunday and Monday

줄라이

JULY

프렌치 컨템퍼러리 *French contemporary*

고즈넉한 서래마을에서 10년째 우직하고 충실한 음식을 만들어온 줄라이. 정통 프렌치 요리에 기반을 두고 있지만, 국내 식재료를 최대한 활용해 셰프의 개성대로 전통을 재해석한 노력이 돋보인다. 한국 고유의 발효 식품인 간장과 된장 등을 요리에 이용하는 것이 그러한 예다. 이곳에선 화려하진 않지만 재료 본연의 맛이 살아 있는 정직한 음식을 선보이며, 작지만 아늑한 다이닝 홀은 특별한 식사 분위기를 제공한다.

This restaurant's creativity is apparent in the food it creates — inherently French, but with an unexpected spin on flavors from using distinctly local ingredients. For example, the chef incorporates traditional fermented condiments such as gochujang and doenjang into his sauces and uses indigenous grains like godaemi — organic ancient colored rice. It's located in Seoraemaeul, also known as "Little France," and the restaurant's vibe is cozy and intimate.

쿤쏨차이
KUNSOMCHAI

타이 *Thai*

국내 요식업계에 '타이'라는 말이 생소했던 시절부터 오랫동안 태국 요리에 집중해온 김남성 셰프. 쿤쏨차이로 독립에 성공한 김 셰프는 자신의 감성이 녹아 있는 타이 퀴진을 선보이고 있다. 그중 태국식 국밥을 표방한 '쏨차이' 국밥은 대중적인 맛을, 뿌팟봉 커리와 마싸만 커리는 이국적인 풍미를 제대로 전달한다. '태국 음식을 만드는 김남성 셰프'가 아닌, '김남성 셰프가 만드는 태국 요리를 선보이는 레스토랑'이라고 소개하는 그에게서 요리에 대한 자신감이 묻어난다.

Chef Kim Nam-seong's passion for Thai cuisine can be traced back to a time when this nation's food was virtually unknown in Seoul. His goal has always been consistent — to serve up tasty Thai fare to the local diners. At Kunsomchai, Kim offers a menu that is a good mix of dishes whose flavors range from the more familiar, like his "Somchai Gukbap," to the more complex and exotic such as his "Boo Phat Pong Curry" and "Massaman Curry."

14

TEL. 02-596-6411

서초구 서초대로 53길 23

23 Seocho-daero 53-gil, Seocho-gu

■ 가격 PRICE

코스 Menu ₩₩₩

단품 Carte ₩ - ₩₩₩

■ 운영시간 OPENING HOURS

점심 Lunch 11:30-14:00 (L.O.)

저녁 Dinner 17:00-21:00 (L.O.)

■ 휴무일

ANNUAL AND WEEKLY CLOSING

설날, 추석 휴무

Closed Lunar New Year and Korean Thanksgiving

타쿠미 곤
TAKUMI GON
스시 *Sushi*

TEL. 02-595-1935

서초구 사평대로 98, 2층

2F, 98 Sapyeong-daero, Seocho-gu

■ 가 격 PRICE

점심 Lunch
코스 Menu ₩₩₩₩

저녁 Dinner
코스 Menu ₩₩₩₩₩

■ 운영시간 OPENING HOURS

점심 Lunch 12:00-13:30 (L.O.)
주말 Weekend 11:30-14:00 (L.O.)
저녁 Dinner 18:00-20:30 (L.O.)

■ 휴무일
ANNUAL AND WEEKLY CLOSING

1월 1일, 설날, 추석, 월요일 휴무
Closed 1st January, Lunar New Year, Korean Thanksgiving and Monday

일본 정통의 숙성 스시를 선보이는 타쿠미 곤의 권오준 셰프는 본토에서도 쉽게 접할 수 없는 옛 스타일의 스시를 고집한다. 세심하게 손질한 후 숙성시킨 생선은 활어나 생물에 비해 지방이 농축되어 감칠맛이 풍부할 뿐만 아니라, 수분 제거와 산화 방지 작업을 거치면 2년까지도 보관이 가능하다고 한다. 권 셰프의 장기인 등 푸른 생선의 경우, 식초와 소금의 농도를 조절해 감칠맛을 최대한 끌어올린다. '요리사의 손을 통해 고객의 입으로 생명을 전달한다고 생각한다'는 그의 음식을 카운터석에서 직접 즐겨보길 권한다.

For an authentic experience of old-school Japanese sushi, look no further than Takumi Gon. The fish, meticulously prepared by Chef Kwon Oh-jun, boasts a supremely rich umami and can keep for up to two years thanks to the moisture elimination and anti-oxidizing treatment they go through during the aging process. Kwon is especially celebrated for his oily fish, which he cures with a blend of vinegar and salt to maximize the flavor. Reserve a seat at the sushi counter for a more intimate experience.

서초구 SEOCHO-GU

태번 38
TAVERN 38
프렌치 *French*

서초동의 조용한 주택가에 강렬한 코발트블루 컬러 외관으로 눈길을 끄는 태번 38. 고급스러우면서도 따뜻한 분위기의 이곳은 나파밸리 욘트빌의 부숑 비스트로 출신인 고병욱 셰프의 아메리칸 프렌치 비스트로다. '대중적인 술집'을 뜻하는 '태번'을 사용한 레스토랑의 이름처럼 많은 사람들이 좀 더 쉽게 접근할 수 있는 친근한 맛의 프렌치 요리를 선보인다. 건살구 메이플 소스를 곁들인 이베리코 폭찹, 코코넛 밀크에 재워 구운 양 어깨 살 스테이크, 오픈 초창기부터 꾸준하게 선보이고 있는 팬 브레이즈드 치킨이 이곳의 대표 메뉴다.

Located in a quiet residential area south of the river, this cobalt-accented, brass-trimmed, white linen-laid French bistro offers both classic and French-inspired fare by Chef Byongwook Koh — who did a stint at Thomas Keller's Bouchon Bistro in Napa Valley. Expect to find old faithfuls like Croque Madame, salads, duck confit and steak tartare in addition to the chef's own creations such as the Ibérico pork chop with apricot maple jus, coconut milk-marinated lamb shoulder steak, and Tavern 38's bestselling pan-braised chicken with vegetables and house-cured bacon.

8

TEL. 02-522-3738

서초구 명달로 22길 12-12

12-12 Myeongdal-ro 22-gil, Seocho-gu

■ 가 격 PRICE

점심 Lunch
코스 Menu ₩₩
단품 Carte ₩₩₩ - ₩₩₩₩
저녁 Dinner
코스 Menu ₩₩₩ - ₩₩₩₩
단품 Carte ₩₩₩ - ₩₩₩₩

■ 운영시간 OPENING HOURS

점심 Lunch 12:00-14:00 (L.O.)
주말 Weekend 11:00-14:00 (L.O.)
저녁 Dinner 17:30-21:00 (L.O.)

■ 휴무일
ANNUAL AND WEEKLY CLOSING

설날, 추석 휴무
Closed Lunar New Year and Korean Thanksgiving

서초구 SEOCHO-GU

TEL. 02-553-2574

서초구 동광로 95

95 Donggwang-ro, Seocho-gu

www.flowerchildkorea.com

■ 가 격 PRICE

점심 Lunch
코스 Menu ₩₩

저녁 Dinner
코스 Menu ₩₩₩

■ 운영시간 OPENING HOURS

점심 Lunch 12:00-14:00 (L.O.)
저녁 Dinner 18:00-20:30 (L.O.)

■ 휴무일
ANNUAL AND WEEKLY CLOSING

설날, 추석 휴무
Closed Lunar New Year and Korean Thanksgiving

플라워 차일드
FLOWER CHILD

이노베이티브 *Innovative*

'자유와 평화'를 뜻하는 플라워 차일드의 조은빛 셰프는 미국에서 오랜 시간을 보낸 탓인지 장르나 조리 기법에 구애받지 않고 자유롭게 요리한다. 깔끔한 빈티지 스타일의 인테리어가 시크한 이곳에선 문고리 같은 소품 하나에도 세심하게 신경 쓴 셰프의 섬세함을 엿볼 수 있다. 한편, '봄을 추억하며', '여름 정원', '가을을 기다리며' 같은 요리명에서도 알 수 있듯 제철 식재료에 따라 바뀌는 메뉴엔 각 계절의 이야기가 담겨 있다. 점심과 저녁 각각 한 가지 코스 메뉴를 선보이며, 와인 페어링 옵션도 선택이 가능하다.

Chef Jamie Jo spent many years in California, nurturing a deep appreciation for quality produce and ingredients. As the name of the restaurant suggests, this food is free-spirited, uncategorized and reflective of the chef's wordly experiences. The regularly changing menu tells the story of the seasons: dishes come with whimsical names like "Reminiscing Spring," "Summer Garden" and "Waiting on Autumn" and show the chef's love for seasonal ingredients.

서초구 SEOCHO-GU

호텔
HOTELS

쉐라톤 팔래스
SHERATON PALACE

강남고속버스터미널 인근에 위치한 쉐라톤 서울 팔래스 강남은 1982년에 더 팔래스 호텔이라는 이름으로 오픈했다가 2016년 스타우드 그룹과 계약하면서 현재 상호로 바뀌었다. 몇 년에 걸친 대대적인 리뉴얼 작업으로 70여 개의 새로운 객실과 실내 수영장, 피트니스센터, 고급 스파 등의 부대시설을 갖춘 곳으로 재탄생했다. 이곳엔 투숙객의 취향에 따라 선택이 가능한 다양한 종류의 객실이 마련되어 있다. 객실과 욕실의 규모는 아담한 편이지만 모던한 인테리어와 안락한 분위기, 그리고 고객의 편의를 고려한 어메니티로 편안한 휴식을 제공한다.

Open under the name "The Palace Hotel" in 1982, this long-standing Seoul hotel is located near Gangnam Express Bus Terminal. It also went through a name change following an all-out renovation that saw the addition of 70 new spacious bedrooms, an indoor swimming pool, a well-equipped fitness club and a luxury spa. The guests can choose from a wide range of rooms, based on their needs and the duration of their stay. The rooms are modern and smartly decorated.

TEL. 02-532-5000
www.marriott.com/selsi

서초구 사평대로 160
160 Sapyeong-daero, Seocho-gu

2인룸 평균가격 Price for 2 persons: ₩₩

객실 Rooms 341

서초구 SEOCHO-GU

TwilightShow/iStock

성동구
& 광진구
SEONGDONG-GU
& GWANGJIN-GU

성동구 & 광진구 SEONGDONG-GU & GWANGJIN-GU

레스토랑
RESTAURANTS

TEL. 02-6052-7595

성동구 왕십리로 136

136 Wangsimni-ro, Seongdong-gu

■ 가 격 PRICE

단품 Carte ₩ - ₩₩

■ 운영시간 OPENING HOURS

점심 Lunch 11:30-13:50 (L.O.)

저녁 Dinner 18:00-20:50 (L.O.)

■ 휴무일
ANNUAL AND WEEKLY CLOSING

1월 1일, 12월 25일, 설날, 추석, 월요일, 화요일 점심 휴무

Closed 1st January, 25th December, Lunar New Year, Korean Thanksgiving, Monday and Tuesday Lunch

팩피
FAGP

이탤리언 컨템퍼러리
Italian contemporary

가족의 영향으로 어린 시절부터 자연스럽게 요리 인생을 꿈꿔온 이종혁 셰프. 국내외에서 다양한 경험을 쌓은 그가 팩피를 오픈하며 셰프로서 새롭게 출발했다. 이곳에선 대중적인 파스타 장르를 자신만의 창의적인 감성으로 풀어낸 간결하면서도 개성 넘치는 메뉴를 선보인다. 오픈 주방에서 고객과 소통하며 요리하는 순간이 무척이나 행복하다는 이 셰프. 팩피를 찾는 모든 고객이 편안하고 행복하게 식사를 즐길 수만 있다면 그걸로 만족한다는 그의 바람이 잘 투영된 공간이다.

In a city where a plate of pasta is as ubiquitous as a bowl of kalguksu, it takes a good dose of creativity and knowledge of the genre to be recognized for one's craft. Chef Lee Jong-hyuk is armed with both. FAGP is a casual restaurant that offers a simple yet inventive menu with a focus on the relatively humble pasta. There is a genuine sense of conviviality here, which comes as no surprise, as the chef says he revels in engaging with his customers while cooking in the open kitchen.

렁팡스
L'ENFANCE
프렌치 French

TEL. 02-465-7117

성동구 연무장길 106

106 Yeonmujang-gil, Seongdong-gu

www.lenface.net

■ 가격 PRICE

점심 Lunch

코스 Menu ₩

단품 Carte ₩₩

저녁 Dinner

단품 Carte ₩₩ - ₩₩₩

■ 운영시간 OPENING HOURS

점심 Lunch 12:00-14:00 (L.O.)

저녁 Dinner 18:00-21:00 (L.O.)

■ 휴무일

ANNUAL AND WEEKLY CLOSING

12월 25일, 설날, 추석, 일요일, 월요일 휴무

Closed 25th December, Lunar New Year, Korean Thanksgiving, Sunday and Monday

무채색 공장 밀집 지대였던 성동구 성수동. 이곳에 심플하면서도 세련된 외관의 렁팡스가 사람들의 눈길과 입맛을 사로잡고 있다. 프랑스 현지에서 경험한 프렌치 비스트로의 격식 없는 분위기와 개성 있는 요리에 매료되어 이곳을 열게 되었다는 김태민 셰프는 그의 모던한 감성을 음식과 공간에 그대로 담아낸다. 그의 시그너처 메뉴는 갈비뼈가 붙어 있는 건조 숙성 돼지 등심 요리로 고기의 고소한 감칠맛이 곁들여 나오는 구운 망고와 잘 어울린다.

Not too long ago, Seongsu-dong was predominantly an industrial neighborhood made up of clusters of factories and warehouses. Now, it is home to chic cafes, restaurants and art galleries, attracting the young and trend-conscious consumers following the latest buzz. French bistro L'Enfance by chef Kim Tae-min is tucked away in one of the small streets of this newly emerging part of the city. The signature dish here is the dry-aged bone-in pork loin served with grilled mango and topped with freshly chopped cilantro.

본 앤 브레드 Ⓝ
BORN AND BRED

바비큐 *Barbecue*

자타 공인 최상급 한우를 즐길 수 있는 '본 앤 브레드'는 정상원 대표의 남다른 한우 사랑에서 시작됐다. 한우 전문 유통업체를 운영하는 아버지 밑에서 쌓은 경험과 본인의 미식 취미가 합쳐져 탄생한 이곳은 다양한 콘셉트의 한우 다이닝을 제공하는 독특한 공간이다. 2층 캐주얼 레스토랑은 '마장동'하면 떠오르는 정육식당에서 콘셉트를 따왔지만, 현대적 인테리어와 고급 메뉴로 기존의 식당들과 차별화를 뒀다. 1층의 정육점 라운지를 비롯해 3층에는 코스 요리 전문 공간도 준비되어 있고, 지하에서는 본 앤 브레드의 정체성을 제대로 경험할 수 있는 한우 맡김 코스도 제공한다.

Born and Bred is the brainchild of Jeong Sang-won, whose obsession with top-quality Korean beef started young, thanks to his beef purveyor father. Jeong created a one-of-a-kind space that offers three different dining concepts. The casual eatery on the second floor have been inspired by the butcher restaurants that populate the vicinity of the Majang Meat Market, but it is decidedly more modern and refined. The "butcher lounge" occupies the first floor while the third floor offers a multi-course beef experience. However, for a taste of what the restaurant is truly all about, head down to the basement for the chef's specialty beef course.

20

TEL. 02-2294-5005

성동구 마장로 42길 1, 2층

2F, 1 Majang-ro 42-gil, Seongdong-gu

■ 가격 PRICE

점심 Lunch
코스 Menu ₩₩₩
단품 Carte ₩₩ - ₩₩₩₩

저녁 Dinner
코스 Menu ₩₩₩
단품 Carte ₩₩₩ - ₩₩₩₩

■ 운영시간 OPENING HOURS

점심 Lunch 12:00 - 14:30 (L.O.)
저녁 Dinner 18:00 - 21:30 (L.O.)

■ 휴무일
ANNUAL AND WEEKLY CLOSING
설날, 추석, 일요일 휴무
Closed Lunar New Year, Korean Thanksgiving and Sunday

호텔
HOTELS

비스타 워커힐
VISTA WALKERHILL

2017년 4월, 모던과 트렌디의 대명사였던 (구)W호텔이 3개월간의 재정비를 마치고 국내 독립 호텔 브랜드인 비스타 워커힐로 재개관했다. 서울의 아름다운 한강 뷰를 자랑하는 비스타 워커힐은 국내 호텔로서는 최초로 음성인식 인공지능 시스템을 도입해 고객에게 지속 가능한 럭셔리 콘셉트의 미래 지향적인 서비스를 제공한다. 세련되고 감각적인 객실 인테리어 역시 여전히 매력적이며, 개성 있는 레스토랑과 바, 설치미술, 미디어 아트의 일종인 AI 미러 등 다양한 엔터테인먼트를 통해 고객들에게 다양한 즐거움을 선사한다.

Once synonymous with words like "modern" and "trendy," the former W Hotel Seoul re-opened following a months-long renovation under the new and independent brand, Vista Walkerhill. The first hotel in Korea to adopt a voice recognition and an A.I. system, Vista Walkerhill offers state-of-the-art services that are not only sustainable and upscale, but futuristic as well. Overlooking the ever-scenic Han River, the guestrooms are the definition of modern sophistication. The bars and restaurants, art installations and media displays are sure to keep guests thoroughly entertained.

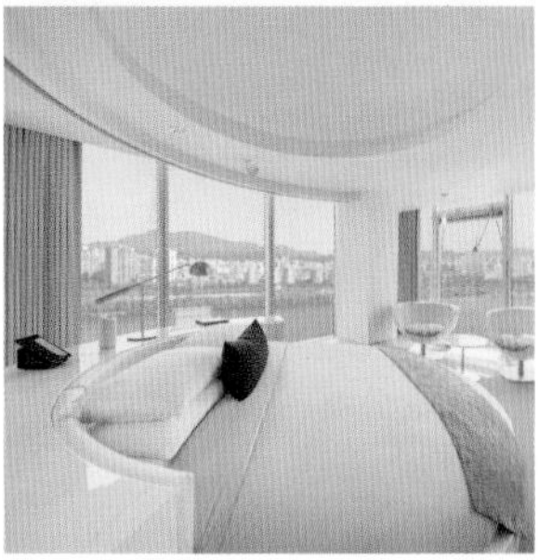

TEL. 02-465-2222
www.walkerhill.com/vistawalkerhillseoul

광진구 워커힐로 177

177 Walkerhill-ro, Gwangjin-gu

2인룸 평균 가격 Price for 2 persons: ₩₩₩

객실 Rooms 250

TEL. 02-455-5000
www.walkerhill.com

광진구 워커힐로 177
177 Walkerhill-ro, Gwangjin-gu

2인 룸 평균 가격 Price for 2 persons: ₩₩

객실 Rooms 412

그랜드 워커힐
GRAND WALKERHILL

오랜 파트너였던 쉐라톤 브랜드와 결별한 후 국내 독립 호텔 브랜드로 새롭게 거듭난 그랜드 워커힐 서울. 2017년을 기점으로 객실 및 부대시설의 상당 부분을 재정비해 기존의 그랜드 워커힐과는 또 다른 분위기를 선사한다. 단 계절별 레저 공간, 외국인 전용 카지노, 마사회 등 비즈니스와 엔터테인먼트 시설은 그대로 운영해 그랜드 워커힐 서울만의 개성은 여전하다. 아차산과 한강 등 아름다운 자연환경에 둘러싸인 그랜드 워커힐 서울은 새것과 옛것의 조화를 통해 수준 높은 서비스를 제공한다.

In 2017, Grand Walkerhill separated from its longtime partner Sheraton Hotels & Resorts to re-establish itself as an independent brand. Much of the guestrooms and facilities have been renovated, but its sports and leisure facilities, foreigner-only casino and the Korea Racing Authority remain intact. Surrounded by the picturesque Achasan Mountain and the Han River, the Grand Walkerhill continues to offer upscale services worthy of its reputation as one of the city's most recognizable hotel brands.

efired/iStock

송파구
SONGPA-GU

레스토랑
RESTAURANTS

비채나
BICENA

한식 *Korean*

2017년 4월, 롯데월드타워 시그니엘 서울 81층으로 이전한 비채나에선 새로운 인테리어와 변화된 메뉴를 통해 한층 업그레이드된 한식 다이닝을 선보인다. 비채나의 차별화된 맛은 시간과 정성이 깃든 장과 김치 등 가장 기본적인 것에서부터 시작된다. 모던하면서도 전통에 충실하며 고급스러운 메뉴에선 한식에 대한 셰프의 철학을 엿볼 수 있다. 여기에 전 세계에서 가장 높은 층에 위치한 한식 레스토랑에서 바라보는 서울 전경은 또 다른 즐거움이다.

Towering above Seoul on the 81st floor of the Signiel Seoul Hotel, the relocated Bicena is back with a revamped menu that stays true to the spirit of traditional Korean fine dining. Bicena continues to respect the most fundamental details of slow Korean cuisine such as Jang (fermented sauces) and kimchi, the outcome of time and nature doing their work. The views from the restaurant - officially the tallest traditional restaurant in the world - are unrivaled.

P 32

TEL. 02-3213-1260

송파구 올림픽로 300, 롯데월드 타워 81층

81F Lotte World Tower,
300 Olympic-ro, Songpa-gu

www.bicena.com

■ 가 격 PRICE

점심 Lunch
코스 Menu ₩₩₩ - ₩₩₩₩

저녁 Dinner
코스 Menu ₩₩₩₩ - ₩₩₩₩₩

■ 운영시간 OPENING HOURS

점심 Lunch 11:30-13:00 (L.O.)
저녁 Dinner 18:00-21:00 (L.O.)

12

TEL. 02-3213-1231

송파구 올림픽로 300, 롯데월드 타워 81층

81F Lotte World Tower,
300 Olympic-ro, Songpa-gu

www.lottehotel.com/seoul-signiel

■ 가격 PRICE

점심 Lunch
코스 Menu ₩₩₩ - ₩₩₩₩

저녁 Dinner
코스 Menu ₩₩₩₩ - ₩₩₩₩₩

■ 운영시간 OPENING HOURS

점심 Lunch 11:30-14:00 (L.O.)
저녁 Dinner 18:00-21:30 (L.O.)

스테이
STAY

프렌치 컨템퍼러리 *French contemporary*

옐로와 골드 컬러로 포인트를 준 경쾌하고 모던한 인테리어, 전 좌석에서 감상할 수 있는 서울의 화려한 스카이라인. 시그니엘 81층에 위치한 STAY는 프렌치 파인 다이닝의 진수를 보여주는 세계적인 명성의 셰프, 야닉 알레노의 모던 프렌치 레스토랑이다. 이곳에선 수준 높은 요리를 편안한 분위기에서 즐길 수 있는데, 매주 새로운 요리를 하나씩 소개하며 계절마다 새로운 메뉴를 선보인다. 또한 레스토랑 중앙에 자리한 페이스트리 라이브러리에선 프렌치 요리의 피날레를 장식하는 디저트를 다양하게 즐길 수 있다.

Perched on the 81st floor of Signiel Seoul Hotel, STAY takes "dining with a view" to a whole new level with its sweeping vistas of the metropolis. STAY is celebrated Chef Yannick Alléno's modern casual French restaurant, a youthful and vibrant space accented with yellow and gold. The live Pastry Library is its signature feature that offers a tantalizing assortment of sweets and confections that guests can help themselves to.

봉피양
BONGPIYANG

냉면 *Naengmyeon*

벽제갈비에서 운영하는 봉피양의 본점으로 평양냉면과 돼지갈비가 유명한 곳이다. 하지만 봉피양의 명물은 뭐니 뭐니 해도 평양냉면이다. 무엇보다 진한 냉면 육수의 깊은 육 향과 은은한 향이 매력적인 순도 높은 메밀 면의 조화가 훌륭하다. 봉피양의 평양냉면이 지금의 명성을 얻기까지는 김태원 조리장의 숙련된 경험과 벽제갈비의 오랜 연구 및 노력이 있었다. 냉면의 특성상 계절을 타는 메뉴이기는 하나, 늘 문전성시를 이루는 곳이라 식사 시간엔 기다려야 할 수도 있다.

Famed for its authentic Pyeongyang cold buckwheat noodles and grilled spareribs, Bongpiyang is operated by the local Byeokje Galbi barbecue restaurant franchise. These legendary noodles, with a high buckwheat content, are served in a flavorful chilled beef broth, topped with slices of beef and fermented cabbage greens. Although cold buckwheat noodles are typically regarded as a seasonal dish enjoyed in the warmer months, this restaurant is busy all year round.

P 12

TEL. 02-415-5527

송파구 양재대로 71길 1-4

1-4 Yangjae-daero 71-gil, Songpa-gu

www.bjgalbi.com

■ 가 격 PRICE

단품 Carte ₩ - ₩₩₩

■ 운영시간 OPENING HOURS

11:00-21:00 (L.O.)

벽제갈비
BYEOKJE GALBI

바비큐 *Barbecue*

12

TEL. 02-415-5522

송파구 양재대로 71길 1-4

1-4 Yangjae-daero 71-gil, Songpa-gu

www.bjgalbi.com

■ 가 격 PRICE

점심 Lunch

코스 Menu ₩₩

단품 Carte ₩ - ₩₩₩₩₩

저녁 Dinner

단품 Carte ₩₩ - ₩₩₩₩₩

■ 운영시간 OPENING HOURS

11:30-21:00 (L.O.)

양념 소갈비의 대명사로 불리는 벽제갈비에선 매일 마리째 경매하는 최상위 1% 한우(BMS No9)를 사용한다. 이곳이 오랜 시간 바비큐, 냉면, 탕류 등 다양한 한식 요리에서 한결같은 맛을 유지할 수 있었던 비결은 바로 분야별 장인들로 구성된 팀의 지식과 전문성에 기반을 두고 있다. 이곳에선 대표 메뉴인 설화생갈비와 설화꽃등심을 비롯해 다양한 탕 요리와 식사 메뉴를 제공해 가벼운 한 끼 식사를 선호하는 손님은 물론, 푸짐한 소고기 바비큐를 원하는 단체 모임까지 가능해 매 끼니때마다 인산인해를 이룬다.

Byeokje Galbi is a local institution that has been serving legendary barbecued beef short ribs since 1986. The restaurant's attention to quality begins from the breeding of the cows at a local farm in Pocheon. Only the top 1% (BMS No9) are purchased, whole, at a daily auction, after which they are handled by an artisan butcher. The signature dishes are the beautifully marbled short ribs and ribeye grilled over charcoal. From a simple meal of cold buckwheat noodles and soup to an elaborate barbecue feast, Byeokje Galbi caters to all occasions.

송파구 SONGPA-GU

호텔
HOTELS

시그니엘
SIGNIEL

기존의 롯데호텔 브랜드와는 차별화된 개성을 지닌 최고급 럭셔리 호텔 시그니엘 서울. 총 123층의 국내 최고층 건물인 롯데월드타워 상층부에 자리한 시그니엘에서 내려다보는 서울과 한강 조망은 한마디로 장관이다. 시시각각 변하는 도시의 색채와 스카이라인을 감상할 수 있는 넓은 객실, 세련되고 모던한 인테리어, 그리고 안락함을 모두 충족시켜 주는 공간 구성은 도심에서 완전한 휴식을 즐기기에 더없이 좋은 선택이 아닐 수 없다. 레스토랑과 수영장, 스파, 사우나 등 호텔의 품격 높은 부대시설 역시 손님들에게 최고의 가치를 선사한다.

Operated by Lotte Hotels & Resorts, Signiel Seoul is located on the upper floors of Jamsil's 123-story Lotte World Tower — the highest man-made structure in Seoul. The guestrooms offer sweeping views of the city that are simply unrivaled. Spacious and comfortable, elegant and tastefully decorated, with all of the amenities to suit a guest's needs, they offer the height of luxury one would expect from such accommodation, as do the restaurants, swimming pool, spa and sauna.

TEL. 02-3213-1000
www.lottehotel.com/seoul-signiel
송파구 올림픽로 300 롯데월드 타워 76-101층
Lotte World Tower 76F-101F, 300 Olympic-ro, Songpa-gu

2인룸 평균가격 Price for 2 persons: ₩₩₩

객실 Rooms 235

추천 레스토랑 Recommended restaurants:
Bicena ✿ - STAY ✿

송파구 SONGPA-GU

neomistyle/iStock

영등포구 & 구로구

YEONGDEUNGPO-GU & GURO-GU

레스토랑
RESTAURANTS

곳간
GOTGAN
한식 *Korean*

여의도 전경련 회관 50층에 위치한 곳간. 사대부 음식의 명맥을 이어가는 곳으로 제철 식재료와 전통 조리법에 충실한 한식의 기품있는 맛과 멋을 선보인다. 50층에서 내려다보는 서울 전경을 즐기면서 사계절의 정성이 담긴 요리를 즐길 수 있다. 스카이팜 내에 조용히 자리잡고 있어 예약 시 위치 확인이 필수다. 내부는 별실로 구성되어 있어 각종 모임에 적합하다. 김창기 셰프의 정성과 세심함이 돋보이는 한상 차림을 맛보고 싶다면 꼭 한번 들러볼 것을 권한다.

Perched on the 50th floor of the Federation of Korean Industries building, Gotgan impresses with its elegant cuisine as well as its sweeping view of Seoul. The head chef Kim Chang-ki carries on the legacy of noble Korean cuisine, highlighting traditional cooking methods and the seasonality of local ingredients. The restaurant, located within Skyfarm of the FKI building, can be tricky to locate, so ask for directions when making a reservation. The space offers only private dining rooms.

P 12

TEL. 02-2055-4447

영등포구 여의대로 24, 전경련 회관 50층

50F, 24 Yeoui-daero, Yeongdeungpo-gu

www.theskyfarm.co.kr

■ 가 격 PRICE

코스 Menu ₩₩₩₩ - ₩₩₩₩₩

■ 운영시간 OPENING HOURS

점심 Lunch 12:00-13:30 (L.O.)

저녁 Dinner 18:00-20:00 (L.O.)

TEL. 02-2683-2615

영등포구 국회대로 76길 10

10 Gukhoe-daero 76-gil,
Yeongdeungpo-gu

■ 가격 PRICE

단품 Carte ₩ - ₩₩

■ 운영시간 OPENING HOURS

점심 Lunch 11:00-14:30 (L.O.)
저녁 Dinner 17:00-21:00 (L.O.)

■ 휴무일
ANNUAL AND WEEKLY CLOSING

설날, 추석, 토요일 휴무
Closed Lunar New Year, Korean Thanksgiving and Saturday

정인면옥
JUNGIN MYEONOK

냉면 *Naengmyeon*

좋은 품질의 식재료와 변함없는 맛에 대한 정인면옥 대표의 고집이 냉면 한 그릇에 고스란히 담겨 있다. 북한 출신 부모님의 존함에서 한 자씩 따온 식당 이름도 전통을 계승하고자 하는 그의 의지의 반영이다. 2014년, 서울 여의도로 이전 오픈한 이곳은 현재 광명시에 있는 정인면옥과는 별개로 운영되고 있다. 직장인들이 많은 여의도에 위치한 까닭에 점심시간에는 어느 정도 대기 시간을 감안해야 한다. 아롱사태 수육, 암퇘지 편육과 접시 만두는 반 접시만도 주문이 가능하다.

When a restaurant continues to attract large crowds of hungry diners, then it is doing something right. The proprietor of Jungin Myeonok has had just one goal since day one — to continue the legacy of his parents for as long as he can, using only the best ingredients. The establishment's legendary Pyeongyang cold buckwheat noodles are based on a tightly guarded family recipe handed down to him by his parents, who both hail from North Korea. The room gets packed quickly during lunch service, especially during the warmer months.

호텔
HOTELS

쉐라톤 디큐브시티
SHERATON D CUBE CITY

2011년에 오픈한 스타우드 그룹의 쉐라톤 서울 디큐브시티 호텔. 교통의 요충지인 신도림 지하철역에서 호텔로 연결되어 이동이 편리할 뿐 아니라, 최고층에 위치한 로비와 29층부터 시작되는 객실에선 서울의 화려한 전경을 한눈에 조망할 수 있다. 특히 안락하고 넓은 객실과 스팀 사우나 시설을 갖춘 욕실이 투숙객들에게 많은 사랑을 받고 있다. 또한 현대백화점 디큐브시티와 바로 연결되어 쇼핑과 식사를 함께 해결할 수 있는 편리함도 이 호텔이 지닌 커다란 장점이다. 파노라마 뷰가 멋진 수영장은 꼭 한번 이용해보길 바란다.

A member of Starwood Hotels and Resorts, Sheraton D Cube City opened in 2011. Conveniently located by Sindorim subway station, the hotel is linked to D Cube City where shopping and dining abound. The top-floor lobby and the rooms, starting from the 29th floor, offer a splendid view of Seoul. The bathrooms of the spacious bedrooms come complete with a steam sauna — a popular feature among guests. A dip in the pool with a panoramic view is a must.

TEL. 02-2211-2000
www.sheratonseouldcubecity.co.kr

구로구 경인로 662
662 Gyeongin-ro, Guro-gu

2인 룸 평균 가격 Price for 2 persons:
₩₩

객실 Rooms 269

콘래드
CONRAD

서울 금융의 중심지인 여의도에 위치한 콘래드 서울. 이곳은 도심 및 인천국제공항과 김포국제공항을 연계하는 훌륭한 교통 여건을 갖추고 있으며, 각종 엔터테인먼트 및 쇼핑 공간이 밀집된 IFC 쇼핑몰과도 연결되어 있다. 11층부터 36층 사이에 자리한 객실 내부는 세련되고 고급스러운 느낌을 주며, 한강의 탁 트인 전망이 한눈에 들어온다. 또한 25m 길이의 실내 수영장은 측면뿐 아니라 천장에까지 창이 나 있어 채광이 풍부하고, 7개의 골프 드라이빙 레인지와 사우나, 피트니스센터도 마련되어 있다.

Located at the center of Seoul's financial hub, Conrad Seoul boasts easy accessibility to the city's two international airports as well as the IFC shopping mall. The guestrooms, located from the 11th through the 36th floors, are sophisticated and elegant with a superb Han River view. The 25-meter-long indoor pool is surrounded by glass windows-even the ceiling. Other leisure facilities include seven golf driving ranges, a gym and sauna.

TEL. 02-6137-7000
www.conradseoul.co.kr
영등포구 국제금융로 10
10 Gukjegeumyung-ro, Yeongdeungpo-gu
2인룸 평균 가격 Price for 2 persons: ₩₩
객실 Rooms 434

글래드 여의도
GLAD YEOUIDO

세계적인 명성의 호텔 예약 플랫폼인 '디자인 호텔스'의 서울 멤버인 글래드 호텔. 군더더기 없이 깔끔하고 모던한 인테리어가 인상적인 이곳은 가장 먼저 모노톤의 차분하고 세련된 외관이 눈길을 사로잡는다. 객실의 내부 디자인은 기능적이고 실용적이지만, 내 집 같은 안락함을 제공하는 효율적인 공간 활용이 돋보인다. 여의도라는 지역의 특성상 비즈니스 고객들이 많이 찾는 편이지만 도심 속에서 휴식과 여유를 즐기려는 젊은 고객층에게도 좋은 반응을 얻고 있다.

Practicality and comfort are the core values of Glad Hotel, a member of the reputable Design Hotels. Situated in Yeouido, Seoul's financial center, the property is well-connected to the city's major cultural and commercial districts via public transportation and taxis. Its easy access to Seoul's two international airports is another bonus. The dark monotone façade is simple and modern, while the rooms are smart and comfortable.

TEL. 02-6222-5000
http://gladyeouido-hotels.com
영등포구 의사당대로 16
16 Uisadang-daero, Yeongdeungpo-gu

2인 룸 평균 가격 Price for 2 persons: ₩

객실 Rooms 319

영등포구 & 구로구 YEONGDEUNGPO-GU & GURO-GU

Vincent_St_Thomas/iStock

용산구
YONGSAN-GU

레스토랑
RESTAURANTS

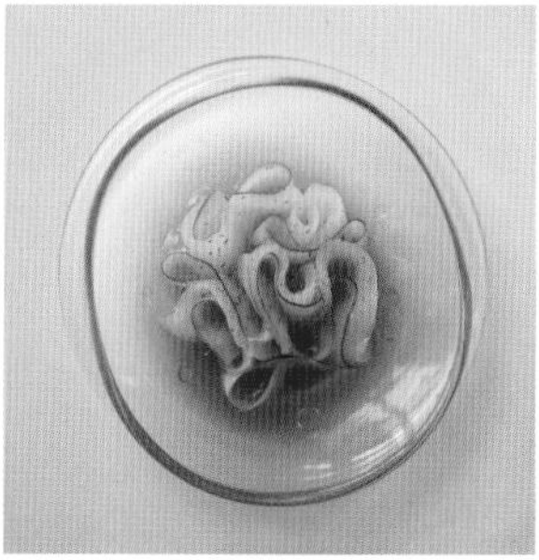

모수
MOSU

이노베이티브 *Innovative*

다양한 문화가 공존하는 샌프란시스코에서 보여주었던 음식과 차별화된 다양성을 선보이는 한남동 모수. 안성재 셰프는 재료의 섬세한 뉘앙스를 감각적으로 표현해내는 장기를 지니고 있다. 1스타 모수 샌프란시스코에서 선보였던 우엉 메뉴는 어머니가 만들어주시던 반찬에서 영감을 얻은 요리로, 얇게 깎은 우엉에 시럽을 발라 말리는 과정을 수차례 반복해 바삭한 식감을 자랑한다. 섬세하고 단아한 이곳의 요리와 잘 어울리는 와인 페어링 또한 근사한 다이닝 경험을 선사할 것이다.

When Chef Ahn Sung-jae moved his Mosu San Francisco to Seoul, he wanted to bring a different kind of diversity to the table. Different as the food may be, Ahn continues to do what he does best, highlighting the subtle nuances of seasonal produce on a plate. “Burdock bark,” the signature dish, features a single burdock chip prepared by coating a thinly shaved sheet of burdock root with syrup, dehydrating it, and repeating the process several times to render it supremely crisp. Enhance your dining experience with the wine pairings.

TEL. 02-793-5995

용산구 이태원로 55가길 45

45 Itaewon-ro 55ga-gil, Yongsan-gu

www.mosuseoul.com

■ 가격 PRICE

점심 Lunch
코스 Menu ₩₩₩₩

저녁 Dinner
코스 Menu ₩₩₩₩₩

■ 운영시간 OPENING HOURS

점심 Lunch 12:00-13:30 (L.O.)
저녁 Dinner 17:30-21:00 (L.O.)

■ 휴무일
ANNUAL AND WEEKLY CLOSING

1월 1일, 설날, 추석, 일요일, 월요일 휴무
Closed 1st January, Lunar New Year, Korean Thanksgiving, Sunday and Monday

16

TEL. 02-777-9007

용산구 두텁바위로 60길 49, 대원정사 별관 3층

3F, 49 Duteopbawi-ro 60-gil, Yongsan-gu

www.poomseoul.com

■ 가 격 PRICE

점심 Lunch

코스 Menu ₩₩₩ - ₩₩₩₩

저녁 Dinner

코스 Menu ₩₩₩₩ - ₩₩₩₩₩

■ 운영시간 OPENING HOURS

점심 Lunch 12:00-13:30 (L.O.)

저녁 Dinner 18:00-20:00 (L.O.)

■ 휴무일

ANNUAL AND WEEKLY CLOSING

1월 1일, 설날, 추석,석가탄신일, 일요일 휴무

Closed 1st January, Lunar New Year, Korean Thanksgiving, Buddha's Birthday and Sunday

품

POOM

한식 *Korean*

품격 있는 반가 음식을 현대적으로 재해석한 요리를 선보이는 노영희 셰프의 품. 남산 소월길에 자리한 이곳은 사전 예약제로 운영하며, 당일 공급받은 최고의 식재료로 만든 음식을 제공하는데, 제철 식재료에 따라 메뉴를 달리 구성한다. 한국 전통의 맛이지만, 여느 서양 음식보다 세련미 넘치는 담음새, 내오는 음식의 순서에 따라 달라지는 맛의 오묘한 조화로 요리의 풍미에 고스란히 집중할 수 있게 한다. 서울 시내가 내려다보이는 창가에 앉아 느긋한 식사를 즐겨보길 권한다.

Poom by Chef Roh Young-hee is a sophisticated Korean restaurant located along Sowol road on Namsan Mountain. The dining room is known for serving noble class cuisine from the Joseon Dynasty with a modern twist. Chef Roh changes the menu every month, inspired by the seasonal ingredients she finds daily at the marketplace. Her plating and style are simple elegance at their finest. The restaurant also boasts spectacular views of the city.

교양식사
GYOYANG SIKSA

바비큐 *Barbecue*

상호에서부터 궁금증을 유발하는 이곳은 이태원에 자리하고 있는 삿포로식 양갈비 전문점이다. 호주에서 10개월 미만의 양고기를 공수받아 어린 양 특유의 고소한 풍미와 부드러운 식감이 살아 있다. 기름기가 적고 고소한 프렌치 랙, 쫄깃한 갈빗살, 그리고 부드러운 알등심의 세 가지 부위를 맛볼 수 있다. 닭 육수를 베이스로 다양한 채소를 구워 곁들인 수프 카레와 향긋한 마늘밥 또한 꼭 먹어봐야 하는 메뉴다. 세련된 인테리어가 돋보이는 이곳은 다이닝 룸을 제외하면 10석 남짓의 바 좌석밖에 없기 때문에 예약은 필수다.

Sapporo-style lamb barbecue is the name of the game at Gyoyang Siksa, which specializes in tender young lamb less than 10 months old. Flown in from Australia, this meat is juicy and tender and the menu offers three cuts: French rack, ribs, and loin steak. These may be grilled tableside by the staff. Other solid dishes include soup curry with grilled vegetables and aromatic garlic rice served with small sheets of laver to wrap it in. Seating is limited, so be sure to book ahead.

TEL. 02-795-4040

용산구 이태원로 238

238 Itaewon-ro, Yongsan-gu

■ 가격 PRICE

단품 Carte ₩₩

■ 운영시간 OPENING HOURS

저녁 Dinner 17:00-22:00 (L.O.)

주말, 공휴일 Weekend and public holiday

13:00-21:00 (L.O.)

■ 휴무일

ANNUAL AND WEEKLY CLOSING

1월 1일, 설날, 추석 휴무

Closed 1st January, Lunar New Year and Korean Thanksgiving

구복만두
GOOBOK MANDU

만두 *Mandu*

TEL. 02-797-8656

용산구 두텁바위로 10

10 Duteopbawi-ro, Yongsan-gu

■ 가격 PRICE

단품 Carte ₩

■ 운영시간 OPENING HOURS

11:00-20:00 (L.O.)

■ 휴무일
ANNUAL AND WEEKLY CLOSING

설날, 추석, 월요일 휴무
Closed Lunar New Year, Korean Thanksgiving and Monday

한국인 남편과 중국인 아내가 운영하는 구복만두는 좋은 재료로 정성껏 빚은 맛있는 만두를 저렴한 가격에 즐길 수 있는, 가격 만족도가 훌륭한 식당이다. 이곳의 대표 메뉴는 뜨거운 기름에 노릇하게 구운 후 자작하게 물을 부어 수분이 모두 증발할 때까지 찌는 일명 '물에 튀긴 만두'다. 스테디셀러인 샤오롱바오와 통새우 만두에 김치 만두도 별미. 테이크아웃도 가능하며, 주류는 판매하지 않는다.

Run by a Korean husband and Chinese wife, Goobok Mandu is a no-frills establishment that specializes in Chinese-style dumplings. The couple prepare the dumplings from scratch based on an old family recipe passed down to them by her grandmother. The dumplings are freshly made to order each time. Try the restaurant's signature pot stickers with their glorious wafer-thin web of crispy golden crust as well as the steamed xiao long bao.

용산구 YONGSAN-GU

세미계
SEMEGAE
바비큐 *Barbecue*

한남동 대사관로 오르막길에 위치한 세미계는 참숯 닭갈비 구이 전문점으로, 초벌구이해서 내오는 부들부들한 닭갈비와 고소한 치즈 뚝배기가 맛있는 곳이다. 또한 닭의 특수 부위도 다양하게 맛볼 수 있는데, 이곳의 베스트셀러는 닭 목살이다. 흔히 떠올리는 뼈만 앙상한 닭의 목이 아닌 목부터 등까지 발골한 살코기로 만들어 쫄깃한 식감을 자랑한다. 푸짐하고 맛깔스러운 반찬을 닭 살과 함께 토르티야에 싸 먹는 재미도 쏠쏠하다. 무료 와인 코키지 역시 이 집의 매력 포인트다.

Located on Embassy Row in Hannam-dong, Semegae is a bustling establishment that specializes in chicken grilled over oak charcoal. The restaurant's signature cut is the boneless chicken neck — the muscle that wraps around the neck and runs all the way down to the spine. The carefully filleted meat is served partially grilled and comes in three different versions: lightly salted, marinated in soy sauce, or marinated in spicy sauce. Grab a soft tortilla and pile on the grilled chicken and vegetable side dishes. Free wine corkage.

TEL. 02-792-2155

용산구 대사관로 34

34 Daesagwan-ro, Yongsan-gu

■ 가격 PRICE

단품 Carte ₩

■ 운영시간 OPENING HOURS

점심 Lunch 12:00-15:00 (L.O.)

저녁 Dinner 17:30-22:00 (L.O.)

■ 휴무일
ANNUAL AND WEEKLY CLOSING

1월 1일, 설날, 추석 휴무

Closed 1st January, Lunar New Year and Korean Thanksgiving

30

TEL. 02-796-7377

용산구 이태원로 238, 3층

3F, 238 Itaewon-ro, Yongsan-gu

■ 가 격 PRICE

단품 Carte ₩₩

■ 운영시간 OPENING HOURS

11:30-21:30 (L.O.)

■ 휴무일

ANNUAL AND WEEKLY CLOSING

설날, 추석 휴무

Closed Lunar New Year and Korean Thanksgiving

어메이징 타이 N

AMAZING THAI

타이 *Thai*

이태원로 대로변 건물 3층에 위치한 '어메이징 타이'는 태국인 오너와 태국 출신 셰프 세 명이 정통 태국 음식의 진수를 선보이는 곳으로, 한국에서 쉽게 접할 수 없는 태국의 다양한 향토 요리를 맛볼 수 있다. 크리미한 옐로우 커리 게 요리 '뿌님 팟 퐁가리', 세계 3대 수프로 꼽히는 '똠양꿍', 통후추가 듬뿍 들어간 매콤한 게 요리 '뿌님 팟 프릭 타이 담', 코코넛 밀크와 닭고기, 새우 등이 들어간 '똠 얌 수프' 같은 이곳의 대표 메뉴를 통해 강렬한 맛과 향이 조화롭게 어우러지는 태국 현지의 맛을 경험할 수 있다.

Thai cuisine devotees rejoice as this restaurant is as close as it gets to the real deal in Seoul. The Thai-owned establishment is run by three Thai chefs who serve up a miscellany of authentic Thai fare from various regions of their native Thailand. The signature dishes include Poo Nim Pad Pong Karee, stir-fried softshell crab in a creamy yellow curry sauce; Tom Yum Goong, hot and sour soup with shrimp; Poo Nim Pad Prik Thai Dum, chili fried softshell crab with black pepper; and Tom Yum Soup, a hot and sour soup with coconut milk, chicken and shrimp.

우육미엔
WOOYUKMIEN

타이완 *Taiwanese*

서울에서 정통 대만 요리를 즐길 수 있는 몇 안 되는 곳으로 '현지보다 맛있는 우육미엔'을 만들고자 노력하는 셰프들이 뭉쳐 탄생한 곳이다. 도가니와 채소, 향신료 등을 넣어 오래 끓인 육수에 다시 찐 소고기를 넣고 푹 우려낸 진하고 구수한 육수가 일품이다. 이 국물에 면과 부드럽게 익힌 아롱사태, 업진살을 푸짐하게 올려 낸다. 바삭한 찹쌀 옷과 새콤달콤한 소스의 꿔바로우도 이곳의 인기 메뉴인데, 여기에 대만 맥주까지 곁들이면 그야말로 금상첨화다. 연태구냥주와 이과두주, 그리고 대만에서만 맛볼 수 있는 금문고량주를 샘플러로 제공한다.

For an authentic taste of Taiwanese cuisine in Seoul, head over to Wooyukmien, a restaurant that serves up a reliable version of the fragrant national beef noodle soup. The rich broth is prepared by first boiling the knee cartilage of a cow with vegetables and spices. Later, chunks of tender braised beef are added to the broth and boiled again. An order of beef noodle soup comes with a generous helping of tender shank, flank and noodles all nestled in a bowl of piping hot beef soup. The sweet and sour pork "guo bao rou" is another popular dish here.

TEL. 02-798-5556

용산구 이태원로 55가길 26-8

26-8 Itaewon-ro 55ga-gil, Yongsan-gu

■ 가격 PRICE

단품 Carte ₩

■ 운영시간 OPENING HOURS

11:00-21:00 (L.O.)

■ 휴무일
ANNUAL AND WEEKLY CLOSING
설날, 추석 휴무
Closed Lunar New Year and Korean Thanksgiving

일호식
ILHOCHIC
한식 *Korean*

TEL. 02-794-2648

용산구 대사관로 35

35 Daesagwan-ro, Yongsan-gu

■ 가 격 PRICE

점심 Lunch
단품 Carte ₩

저녁 Dinner
코스 Menu ₩₩₩
단품 Carte ₩ - ₩₩

■ 운영시간 OPENING HOURS

점심 Lunch 11:00-15:30 (L.O.)
저녁 Dinner 18:00-21:30 (L.O.)

■ 휴무일 ANNUAL AND WEEKLY CLOSING

설날, 추석 휴무
Closed Lunar New Year and Korean Thanksgiving

좋은 맛뿐만 아니라 건강에도 유익하고 보기에도 좋다는 의미를 담고 있는 일호식. 복합 문화공간 사운즈 한남에 터를 잡은 일호식은 예전에 비해 공간은 작아졌지만, 제공하는 음식은 여전히 알차고 건강하다. 점심 메뉴가 정식 위주로 구성되어 있다면 저녁 메뉴에는 술과 함께 곁들일 수 있는 한상 차림과 안주가 준비되어있다. 위에 부담을 주지 않는 깔끔한 한 끼 식사를 원한다면 일호식을 추천한다.

Ilhochic — whose goal from day one has been to serve great-tasting food that is also healthful and aesthetically pleasing — is located in Sounds Hannam, a cultural complex on Embassy Row in Hannam-dong. Although the space is smaller than its previous location, the food it serves is as substantial as ever and is chock-full of high-quality seasonal produce. Lunch offerings consist of set menus, while dinner options include both set menus and à la carte choices to accompany drinks. A great option for those seeking a tasty nutritious meal made with care.

용산구 YONGSAN-GU

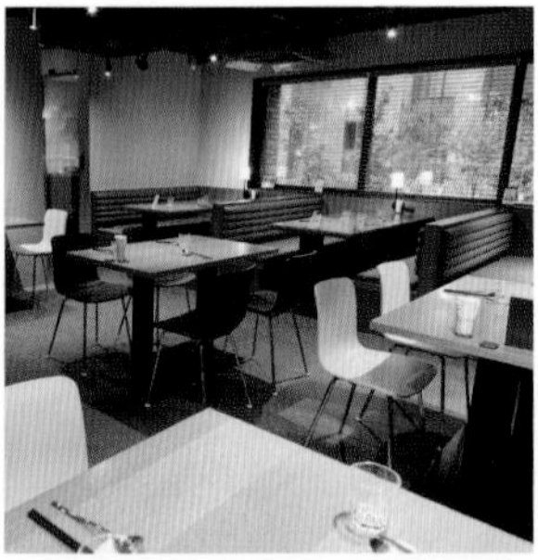

그랑 아무르
GRAND AMOUR

프렌치 *French*

봉에보, 메종 드 라 카테고리, 수마린을 통해 모던 프렌치 퀴진을 자신만의 스타일로 뚜렷하게 표현해온 이형준 셰프. 그런 그가 그랑 아무르에서 지금까지 축적해온 프렌치 감성을 한층 깊이 있게 표현해낸다. 클래식 프렌치 살롱이 연상되는 분위기, 전에 비해 색이 더 강렬해진 메뉴, 정통 프렌치 레스토랑의 정체성을 고객에게 오롯이 전달하고자 하는 셰프의 노력이 돋보이는 이곳에서 주중 특정 요일에만 선보이는 라이브 뮤직 공연을 감상하며 식사를 즐겨보는 건 어떨까?

From the classic, chic décor — with its signature splash of red, dimmed lights and down to the details of the food — Chef Lee Hyeong-jun and his team at Grand Amour offer diners a faithful French dining experience. Walk through the doors and you will immediately be transported to a Parisian bistro where you can, on specified weekdays, dine while enjoying live music. When it comes to food, Lee, who honed his French culinary skills at Bon et Beau, Maison de la Categorie, and Sous Marin, is more assertive than ever before.

10

TEL. 02-790-0814

용산구 한남대로 20길 47-24, 리플레이스 D동 지하 1층

B1F Replace bldg #D, 47-24 Hannam-daero 20-gil, Yongsan-gu

■ 가 격 PRICE

점심 Lunch

코스 Menu ₩₩ - ₩₩₩

단품 Carte ₩₩₩ - ₩₩₩₩

저녁 Dinner

코스 Menu ₩₩₩₩

단품 Carte ₩₩₩ - ₩₩₩₩

■ 운영시간 OPENING HOURS

점심 Lunch 12:00-14:00 (L.O.)

저녁 Dinner 18:00-22:00 (L.O.)

■ 휴무일

ANNUAL AND WEEKLY CLOSING

1월 1일, 설날, 추석, 일요일 휴무

Closed 1st January, Lunar New Year, Korean Thanksgiving and Sunday

TEL. 02-6217-5252

용산구 신흥로 56

56 Sinheung-ro, Yongsan-gu

■ 가격 PRICE

단품 Carte ₩₩₩

■ 운영시간 OPENING HOURS

저녁 Dinner 18:00-22:00 (L.O.)

주말 Weekend 12:00-14:00 (L.O.)

■ 휴무일
ANNUAL AND WEEKLY CLOSING

1월 1일, 설날, 추석, 월요일 휴무
Closed 1st January, Lunar New Year, Korean Thanksgiving and Monday

꼼 모아
COMME MOA

프렌치 *French*

해방촌 끝자락의 가파른 언덕을 지나면 밝은 버건디 컬러 외관의 꼼모아가 눈에 들어온다. 소담한 공간에서 프랑스 현지의 맛과 분위기를 만끽할 수 있는 이곳은 김모아 셰프의 레스토랑으로, 정감 있는 서비스가 돋보이는 곳이다. 단순한 재료로 맛있는 음식을 대접하고 싶다는 것이 그녀의 바람. 이곳의 베스트셀러는 푸아그라 크렘 브륄레와 파테 앙 크루트. 하루 전에 예약해야만 맛볼 수 있는 비프 웰링턴과 셰프의 특선 디저트 수플레는 꼭 한번 맛보길 바란다.

This cozy charmer, located towards the tail end of Haebangchon's main street, is Chef Kim Moa's cheery French bistro that serves up authentic fare. The menu is composed of classic dishes that clearly demonstrate her philosophy that good ingredients and care for the guests should be the foundation of a tasty dish. Some of the restaurant's best sellers include foie gras crème brûlée, pâté en croute and beef Wellington, which diners have to call ahead and order a day in advance. For dessert, the chef's special soufflé is a must.

라 쿠치나
LA CUCINA

이탤리언 *Italian*

1990년에 개업한 이래 서울에서 손꼽히는 정통 이탤리언 레스토랑의 계보를 잇고 있는 라 쿠치나. 이탈리아어로 '주방'을 뜻하는 이곳은 2016년 11월, 오랜 보수공사를 마친 후 새롭게 문을 열었다. 2층과 3층으로 자리를 옮긴 레스토랑은 고급스러운 인테리어와 높은 층고, 그리고 통창 밖으로 보이는 남산 풍경으로 인해 한층 멋스러워졌다. 오랜 세월 동안 꾸준한 사랑을 받아온 음식 맛도 여전한데, 그중 진한 라구 소스 탈리아텔레와 미트 소스 라자냐가 대표적이다.

In this ever-changing city, it is comforting to know that some old favorites continue to be in business after all these years. Since 1990, La Cucina — located on the picturesque hillside of Namsan Mountain — has been serving consistently satisfying Italian cuisine to Seoul diners. With recent renovations came a more modern façade, higher ceilings and two floors of dining space with stunning vistas, but the heart and soul of the restaurant — the food — remains comfortingly familiar. The rich and silky tagliatelle with ragù and meat-sauce lasagna continue to please.

40

TEL. 02-794-6005

용산구 회나무로44길 10

10 Hoenamu-ro 44-gil, Yongsan-gu

www.la-cucina.co.kr

■ 가격 PRICE

점심 Lunch
코스 Menu ₩₩ - ₩₩₩
단품 Carte ₩₩ - ₩₩₩₩

저녁 Dinner
코스 Menu ₩₩₩ - ₩₩₩₩
단품 Carte ₩₩ - ₩₩₩₩

■ 운영시간 OPENING HOURS

점심 Lunch 12:00-14:00 (L.O.)
저녁 Dinner 17:30-20:30 (L.O.)

■ 휴무일
ANNUAL AND WEEKLY CLOSING
1월 1일, 설날, 추석, 일요일 휴무
Closed 1st January, Lunar New Year, Korean Thanksgiving and Sunday

레드문
RED MOON
차이니즈 컨템퍼러리
Chinese contemporary

TEL. 070-8865-3112

용산구 한남대로20길 41-4, 지하1층

B1F, 41-4 Hannam-daero 20-gil, Yongsan-gu

■ **가격 PRICE**

저녁 Dinner
단품 Carte ₩₩ - ₩₩₩

■ **운영시간 OPENING HOURS**

저녁 Dinner 18:00-24:00 (L.O.)
금요일, 토요일 Friday and Saturday 18:00-01:00 (L.O.)

■ **휴무일**
ANNUAL AND WEEKLY CLOSING
1월 1일, 설날, 추석, 일요일 휴무
Closed 1st January, Lunar New Year, Korean Thanksgiving and Sunday

쓰촨식 타파스 바를 표방하는 레드문은 한남동의 비밀스러운 공간에 자리하고 있는 데다 작고 붉은 달이 간판의 전부여서 초행길에는 찾기 힘들 수도 있다. 스피크 이지 바 콘셉트의 은밀한 출입문으로 들어서면 '참지마라(参知麻辣)', 즉 참된 마라의 맛을 함께 알아가자는 의미를 지닌 한자 문구가 눈에 들어온다. 매콤한 파스타의 차가운 쓰촨식 비빔면과 매운 고추가 듬뿍 들어 있는 라즈지에 고량주로 만든 특제 연태 칵테일 한 잔을 곁들이면 매운맛을 한껏 느낄 수 있다. 재기 발랄한 마라 타임을 즐겨보길.

Tucked away in a discreet location in Hannam-dong, Red Moon serves up tapas-style dishes with a distinctly Sichuan flair. Enter its speakeasy-esque doors and the first thing you will notice is the red neon Chinese characters on the wall that translate as "Discover the authentic flavors of Mala." Bestselling dishes include Sichuan-style noodles and "La Zi Ji" — Sichuan mala chicken laden with spicy red peppers. Pair the dishes with a kaoliang wine-based cocktail for a truly tongue-numbing experience. Recommended for those seeking a fun space with fun food.

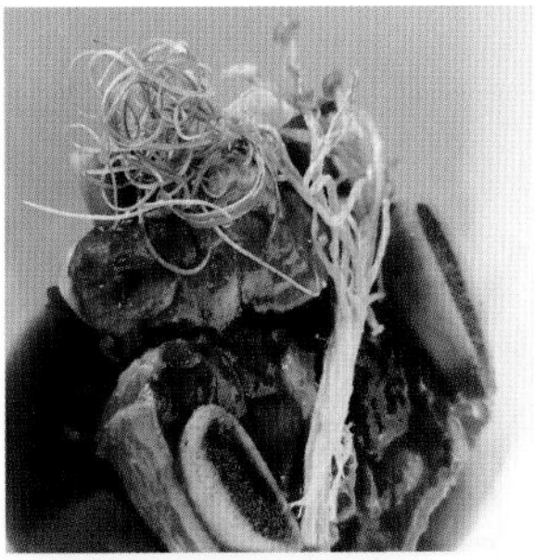

미쉬 매쉬
MISH MASH

코리안 컨템퍼러리 *Korean contemporary*

늘 붐비는 이태원 거리에서 벗어나 한적한 뒷길을 걷다 보면 강렬한 빨간 문이 인상적인 미쉬 매쉬가 눈에 들어온다. 김민지 셰프가 운영하는 이곳의 주방팀은 다국적 멤버들로 구성돼 있다. 한국 음식에 그들의 경험과 생각, 그리고 색다른 시선을 가미해 신선한 메뉴를 선보인다. '미쉬 매쉬'가 '이것저것 섞여 있다'는 뜻인 것처럼 꽈리고추 장아찌를 튀겨 수제 마요네즈와 함께 낸다든지, 덴마크식 돼지고기 구이를 김치 마멀레이드와 조합하는 등 이들의 참신한 발상이 인상적이다. 작지만 알찬 한상과 톡톡 튀는 메뉴들을 맛볼 수 있다.

Just like its name, Mish Mash serves up a colorful miscellany of dishes that reflect the multicultural background and experience of the international kitchen staff. The dishes are a whimsical mix of local and foreign flavors, including the deep-fried pickled shishito peppers served with a side of house-made mayonnaise or the Danish-style pork roast served with a sweet and tart kimchi marmalade. The space is intimate and the food original with plenty of surprises.

TEL. 02-6465-2211

용산구 이태원로 55가길 21

21 Itaewon-ro 55ga-gil, Yongsan-gu

www.mishmashkorea.com

■ 가격 PRICE

점심 Lunch
코스 Menu ₩₩
단품 Carte ₩ - ₩₩

저녁 Dinner
코스 Menu ₩₩ - ₩₩₩
단품 Carte ₩ - ₩₩₩

■ 운영시간 OPENING HOURS

점심 Lunch 11:30-14:00 (L.O.)
저녁 Dinner 18:00-21:00 (L.O.)

■ 휴무일
ANNUAL AND WEEKLY CLOSING

1월 1일, 설날, 추석 휴무
Closed 1st January, Lunar New Year and Korean Thanksgiving

5

TEL. 02-797-5995

용산구 한남대로20길 21-18, 지하1층

B1F, 21-18 Hannam-daero 20-gil, Yongsan-gu

■ 가 격 PRICE

점심 Lunch

코스 Menu ₩₩₩

저녁 Dinner

코스 Menu ₩₩₩₩

■ 운영시간 OPENING HOURS

점심 Lunch 12:00-13:00 (L.O.)

저녁 Dinner 18:00-19:00 (L.O.)

■ 휴무일

ANNUAL AND WEEKLY CLOSING

일요일 휴무

Closed Sunday

소설한남 N

SOSEOUL HANNAM

한식 *Korean*

한 편의 소설(小說) 같은 한식. '서울의 현 시대를 반영한 한식(SO SEOUL)'이라는 중의적 의미를 갖고 있는 '소설한남'은 소박하고 정갈한 한식을 현대적으로 재해석하는 곳이다. 맛의 조화가 곧 한식의 매력이라고 생각한다는 셰프는 한국인에게 너무 익숙하기 때문에 감동적인 식사를 제공하기 어려울 수 있는 무침, 지짐, 찜 등의 요리를 친숙한 재료를 활용해 만들어 낸다. 다시마 부각과 청국장, 곰취와 묵은지를 곁들여 먹는 생선회를 비롯해 숯불구이 주꾸미와 닭 요리도 별미이다. 전통주 페어링도 다양하게 경험해 볼 수 있다.

Inspired by local culinary traditions but dedicated to expressing the modern-day sensibilities of Seoul cuisine, Soseoul Hannam serves up contemporary Korean food using ingredients that are most familiar to the local palate. The chef's creations are an homage to some of the more typical dishes and preparation techniques, including seasoned salads, pan-fried and braised dishes. Kelp chips, rich soybean paste stew, sliced raw fish with gomchwi (Fischer's ragwort) and aged kimchi, and chargrilled webfoot octopus are some of its signature offerings. The restaurant also offers traditional liquor pairings.

스테이크 하우스
STEAK HOUSE

스테이크하우스 *Steakhouse*

그랜드 하얏트 호텔 내에 미식 거리 콘셉트로 큐레이팅한 '322 소월로'의 스테이크 하우스. 겉은 바삭하고 육즙은 풍부하며 참숯의 은은한 향을 머금고 있는 맛 좋은 스테이크의 비결은 바로 오븐이다. 스페인에서 특별 주문 제작된 피라 오븐은 국내에서는 처음 사용되는 것으로 300~400도의 고온에서 고기를 재빨리 익혀 두꺼운 스테이크라도 육즙의 손실 없이 맛있게 요리할 수 있는 것이 특징이다. 온도 조정 과정과 고기의 익힘 정도는 셰프의 노하우와 감각으로 결정한다. 총 68석으로 아름다운 전망을 감상하며 요리를 즐길 수 있다.

A thick steak, juicy and tender, with a dark and crispy caramelized crust is quite possibly every meat lover's dream. That dream is delivered — and with finesse — at Steak House, a classy but casual restaurant located within "332 Sowol-ro," a conceptualized food alley at the Grand Hyatt Seoul. The key to their well-executed steaks? The Pira charcoal oven, imported from Spain, cooks meats at extremely high temperatures in a short amount of time to minimize the loss of moisture. The view from the restaurant is a bonus.

P 16

TEL. 02-799-8273

용산구 소월로 322, 그랜드 하얏트 호텔 지하 1층

B1F Grand Hyatt Hotel, 322 Sowol-ro, Yongsan-gu

http://seoul.grand.hyatt.com

■ 가격 PRICE

단품 Carte ₩₩₩ - ₩₩₩₩

■ 운영시간 OPENING HOURS

점심 Lunch 12:00-14:00 (L.O.)

저녁 Dinner 18:00-21:30 (L.O.)

오만지아
O MANGIA
이탤리언 *Italian*

주방에서 손수 준비한 재료로만 요리하는 것을 원칙으로 삼는 황동휘 셰프의 오만지아는 한남동에 자리한 이탤리언 레스토랑이다. 이탈리아의 각종 가공육을 통칭하는 살루미 저장고를 비롯해 주방 한켠의 화덕과 작은 수조에 이르기까지 일일이 셰프의 손길을 거쳐야만 완성되는 음식의 흔적을 곳곳에서 볼 수 있다. 이탈리아를 대표하는 각종 파스타와 화덕에서 구워 내는 정통 피자를 맛볼 수 있는 것은 물론 고성과 울진, 통영에서 조달한 신선한 해산물로 만든 '마레 미스티'가 셰프가 자신 있게 추천하는 전채요리다.

At O Mangia, Chef Hwang Dong-hwi believes in making everything from scratch. From the dry-curing chamber of house-made salumi to the wood-fired pizza oven, the establishment has all the essential elements you would expect to find at an authentic Italian restaurant. The menu offers a wide selection of pastas and pizzas as well as steaks and a grilled catch of the day. One of the chef's top recommendations is the mixed seafood platter prepared with fresh seafood from Goseong, Uljin and Tongyeong.

8

TEL. 02-749-2900

용산구 유엔빌리지길 14

14 UN Village-gil, Yongsan-gu

■ 가 격 PRICE

단품 Carte ₩₩₩ - ₩₩₩₩

■ 운영시간 OPENING HOURS

점심 Lunch 12:00-14:00 (L.O.)

저녁 Dinner 18:00-24:00 (L.O.)

오스테리아 오르조 N
OSTERIA ORZO
이탤리언 *Italian*

연남동에서 운영되던 '오스테리아 오르조'가 한남동으로 자리를 옮겼다. 이탈리아어 '오스테리아'는 간단한 음식과 와인을 함께 즐길 수 있는 '선술집'을 의미하는데, '오스테리아 오르조'는 이름 그대로 이탈리아의 맛과 멋을 느낄 수 있는 아늑한 공간이다. 이곳의 대표 메뉴는 소고기 다짐육과 마스카르포네 치즈, 트러플 페이스트가 들어간 진한 소스에, 레스토랑에서 직접 뽑은 생면을 곁들인 화이트 라구 파스타이다. 매콤한 소스를 듬뿍 머금은 탈리아텔레와 해산물 타르타르도 빼놓을 수 없는 별미이다. 주방 앞 테이블에 앉아 파스타가 완성되는 모습을 지켜보는 재미도 쏠쏠하다.

Osteria Orzo continues to offer an authentic taste of a casual and cozy Italian osteria at its Hannam-dong location. Signature offerings on the menu include the white ragù pasta which features home-made fresh pasta drenched in rich meat sauce with mascarpone cheese and truffles. The spicy tagliatelle and the seafood tartare are also among the restaurant's all-time favorites. Reserve a table across from the open kitchen and watch the chefs in action.

TEL. 02-322-0801

용산구 한남대로20길 47, 2층

2F, 47 Hannam-daero 20-gil, Yongsan-gu

■ 가격 PRICE

단품 Carte ₩₩ - ₩₩₩

■ 운영시간 OPENING HOURS

점심 Lunch 12:00-14:15 (L.O.)

저녁 Dinner 17:30-21:00 (L.O.)

🍽 10

TEL. 02-798-9700

용산구 독서당로 124-7

124-7 Dokseodang-ro, Yongsan-gu

■ 가 격 PRICE

점심 Lunch

코스 Menu ₩₩₩

단품 Carte ₩₩ - ₩₩₩₩

저녁 Dinner

코스 Menu ₩₩₩ - ₩₩₩₩

단품 Carte ₩₩ - ₩₩₩₩

■ 운영시간 OPENING HOURS

점심 Lunch 11:30-14:00 (L.O.)

저녁 Dinner 18:00-21:00 (L.O.)

쥬에 N

JUE

중식 *Chinese*

'쥬에'는 중국 귀족에게 부여하던 작위를 뜻하는 말을 중국식으로 발음한 것이다. 정통 광둥식 요리를 선보이는 '쥬에'는 코스 메뉴 역시 '공작', '후작', '백작', '자작', '남작'처럼 작위의 이름을 따서 구성했다. 이곳의 대표 메뉴인 돼지 바비큐는 특제 양념에 잰 통고기를 고온에서 구워 껍질의 바삭함과 촉촉한 살코기의 풍부한 육즙을 동시에 느낄 수 있다. 또한 13가지가 넘는 딤섬 중 하나인 라창펀과 전복을 올린 시우마이, 그리고 춘권은 꼭 맛봐야 할 메뉴다. 각종 요리에 곁들일 수 있는 중국 차도 준비되어 있다.

Resembling the Chinese pronunciation of a word which refers to a title of nobility, Jue is a restaurant that specializes in Cantonese cuisine. The set menu is also named after the different noble titles in China. One of Jue's signature dishes is its barbecued pork which, after being marinated, is roasted in a high-temperature oven to ensure a supremely crispy skin and juicy, flavorful meat. Of the 13 different varieties of dim sum on offer, the cheung fan (rice noodle roll), shumai topped with abalone, and the spring rolls are not to be missed.

용산구 YONGSAN-GU

텅 앤 그루브 조인트
TONGUE & GROOVE JOINT
바비큐 *Barbecue*

21세기 감성이 잘 녹아 있어 고깃집이라기보다는 펍이나 카페를 연상시키는 텅 앤 그루브 조인트는 숙성시킨 소고기와 양고기, 돼지고기 바비큐를 전문으로 하는 레스토랑이다. 최소 21일간 숙성시킨 소고기와 12개월 미만의 부드러운 양갈비, 그리고 소 한 마리에서 2~4kg밖에 나오지 않는 꽃새우살이 이 집의 대표 메뉴다. 여기에 직접 만든 고추기름과 고수 페스토를 함께 내는 것이 특징이다. 참신한 점심 메뉴 역시 인상적이며, 다양한 종류의 크래프트 맥주와 와인도 마련되어 있다.

Don't expect to walk into a typical Korean barbecue restaurant when you visit Tongue and Groove Joint, a casually cool and modern space that feels more like a café or a beer hall. The restaurant specializes in quality Korean beef aged for at least three weeks as well as tender lamb chops and beef ribeye. These cuts are grilled at the table by the staff and come with a side of house-made chili oil and cilantro pesto which help cut the richness. The restaurant also has a good variety of lunch offerings and a wide selection of craft beers.

22

TEL. 02-790-7036

용산구 보광로60길 7

7 Bogwang-ro 60-gil, Yongsan-gu

■ 가격 PRICE

단품 Carte ₩ - ₩₩₩

■ 운영시간 OPENING HOURS

11:30-22:00 (L.O.)
금요일, 토요일 Friday and Saturday
11:30-23:00 (L.O.)

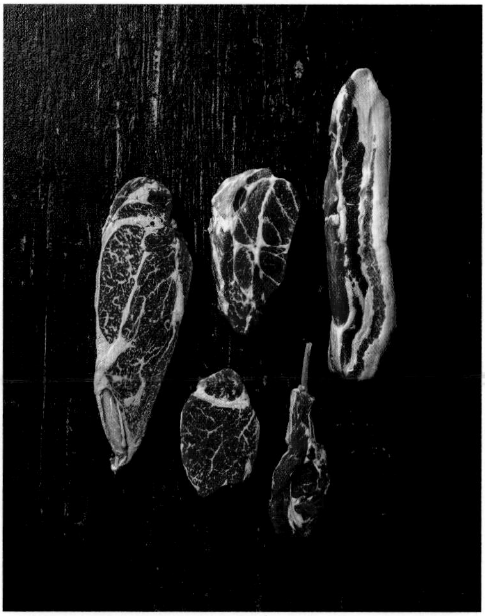

테판
TEPPAN
뎃판야키 *Teppanyaki*

TEL. 02-799-8272

용산구 소월로 322, 그랜드 하얏트 호텔 지하 1층

B1F, Grand Hyatt Hotel, 322 Sowol-ro, Yongsan-gu

http://seoul.grand.hyatt.com

■ 가격 PRICE

점심 Lunch
코스 Menu ₩₩₩

저녁 Dinner
코스 Menu ₩₩₩₩

■ 운영시간 OPENING HOURS

점심 Lunch 12:00-14:00 (L.O.)
저녁 Dinner 18:00-21:30 (L.O.)

전 세계 철판 요리를 경험할 수 있는 테판은 애피타이저부터 디저트까지 모든 음식을 철판 위에서 조리하는 신개념의 레스토랑이다. 이곳에선 바 테이블에 앉아 요리가 완성되는 과정을 직접 볼 수 있고, 널찍한 통창을 통해 남산의 아름다운 풍경도 감상할 수 있다. 신선한 해산물과 스테이크, 그리고 화려한 불 쇼와 함께 완성하는 플랑베 등 맛있는 요리뿐만 아니라 즐거운 볼거리까지 선사하는 테판은 그랜드 하얏트 서울의 미식 거리 콘셉트의 '332 소월로'에 자리하고 있다.

Located along Grand Hyatt Seoul's gourmet alley "332 Sowol-ro," Teppan is a restaurant where everything on the menu is cooked on an iron griddle — even appetizers and desserts. Food is prepared by chefs in front of the guests on flat-surface grills behind the bar counter. Diners can also gaze out at the scenic view of Namsan Mountain through the restaurant's wide windows while enjoying their meal. The menu offers plenty of fresh seafood and meats as well as spectacular fire shows.

호텔
HOTELS

그랜드 하얏트
GRAND HYATT

빼어난 경관을 자랑하는 남산에 자리한 그랜드 하얏트 서울은 1978년 개관 당시부터 현재까지 서울 최고의 호텔 명소로 자리매김해왔다. 이곳은 남산의 정원을 테마로 넓게 펼쳐진 층고와 땅, 나무, 물을 형상화한 자연 친화적인 디자인이 돋보인다. 또한 겨울엔 아이스링크로 변신하는 야외 수영장을 비롯해 품격 있는 부대시설과 서비스를 갖추고 있다. 그런 까닭에 주말이면 칵테일과 라이브 공연을 즐기러 오는 고객들로 늘 붐빈다. 룸은 상대적으로 작은 편이지만, 이렇듯 다채로운 서비스가 그러한 단점을 상쇄시킨다.

From day one of its grand opening in 1978, Grand Hyatt Seoul has occupied a special place in the hearts of Seoul's hip and trendy. The beautiful grounds — inspired by Mother Nature's endless skies, trees and waters — embrace the lush beauty of Namsan Mountain. The swimming pool, which transforms into an ice rink in the winter, is a much-loved city landmark. Weekends see crowds of revelers flocking in droves for cocktails and live music.

TEL. 02-797-1234
http://seoul.grand.hyatt.com

용산구 소월로 322
322 Sowol-ro, Yongsan-gu

2인룸 평균가격 Price for 2 persons:
₩₩₩

객실 Rooms 615

추천 레스토랑 Recommended restaurants:
Steak House - Teppan

F. Guiziou/hemis.fr

종로구
JONGNO-GU

레스토랑
RESTAURANTS

✿

다이닝 인 스페이스
DINING IN SPACE

프렌치 컨템퍼러리 *French contemporary*

아라리오 갤러리를 마주했을 때 보이는 통유리 건물 5층 꼭대기에 자리한 다이닝 인 스페이스는 아담한 곳이지만, 통창으로 창덕궁과 녹지대가 풍부한 주변 경관이 한눈에 들어와 결코 작다는 느낌이 들지 않는다. 현재 이곳을 책임지고 있는 노진성 셰프는 식재료의 궁합과 익힘 정도를 그의 음식에서 가장 중요한 요소로 꼽는다. 새로운 요리 기법을 사용하지만, 각 요리 간의 조화로움을 늘 염두에 두고, 재료의 식감과 질감을 영민하게 표현해낸다.

Visit Arario Gallery and you will immediately notice a glass building, constructed as part of the gallery's space project. Perched on the fifth and top floor, it is cozy, yet feels open and spacious thanks to the surrounding glass windows overlooking the quaint neighborhood. Chef Noh Jin-sung counts the balance of ingredients and cooking temperature among the key elements in his food. He incorporates new techniques, but not without maintaining harmony between each course.

TEL. 02-747-8105

종로구 율곡로 83, 아라리오 스페이스 5층

5F Arario Space, 83 Yulgok-ro, Jongno-gu

■ 가격 PRICE

점심 Lunch

코스 Menu ₩₩₩

저녁 Dinner

코스 Menu ₩₩₩₩

■ 운영시간 OPENING HOURS

점심 Lunch 12:00-13:30 (L.O.)

저녁 Dinner 18:00-20:00 (L.O.)

■ 휴무일

ANNUAL AND WEEKLY CLOSING

1월 1일, 설날, 추석, 일요일, 월요일 휴무

Closed 1st January, Lunar New Year, Korean Thanksgiving, Sunday and Monday

8

TEL. 02-332-5525

종로구 북촌로 71, 2층

2F, 71 Bukchon-ro, Jongno-gu

www.terreno.co.kr

■ 가격 PRICE

점심 Lunch

코스 Menu ₩₩ - ₩₩₩

저녁 Dinner

코스 Menu ₩₩₩ - ₩₩₩₩

■ 운영시간 OPENING HOURS

점심 Lunch 12:00-14:00 (L.O.)

저녁 Dinner 17:30-20:30 (L.O.)

■ 휴무일

ANNUAL AND WEEKLY CLOSING

설날, 추석, 월요일, 화요일 휴무

Closed Lunar New Year, Korean Thanksgiving, Monday and Tuesday

떼레노
TERRENO

스패니시 *Spanish*

스페인어로 '땅'을 의미하는 '떼레노'는 자연주의 요리를 지향하는 신승환 셰프와 사회 취약 계층의 자립을 돕는 오요리 아시아 이지혜 대표와의 합작으로 탄생한 북촌의 스페인 요리 전문점이다. 자연의 맛을 최대한 전달하기 위해 직접 재배한 채소와 허브를 사용하는 것을 원칙으로 하는 신 셰프는 좋은 식재료와 해외에서 쌓은 다양한 경험으로 맛있는 한 끼를 제공한다. 셰프 추천 요리로는 염장해 말린 대구를 물에 불려 사용하는 촉촉한 바칼라오 요리와 랍스터 성게알 파에야가 있다.

Earth, land, terrain — the name "Terreno" itself clearly sums up what Chef Shin Seung-hwan aims to deliver on a plate — the flavors that Mother Nature intended. In fact, he personally grows and harvests many of the herbs and vegetables he uses in his dishes. Shin's menu is also a reflection of all the years he spent living and traveling abroad, honing his skills and exposing his taste buds to world cuisines. Recommended dishes include the lobster paella and bacalao.

온지음 ONJIUM

한식 *Korean*

경복궁 돌담길이 가진 전통미와 '온지음 맛공방'이 위치한 주택가의 현대미가 길 하나를 사이에 두고 조화롭게 공존한다. 레스토랑 내부에서 확인할 수 있는 한국의 전통 의식주 양식 역시 모던한 외관과 대조를 이루며 과거와 현재가 공존하고 있음을 느끼게 한다. '온지음'이 운영하는 식문화 연구소이자 레스토랑이기도 한 이곳에서는 조선 왕조 궁중 음식 이수자 조은희 방장과 박성배 연구원, 그리고 이들이 이끄는 젊은 팀원들이 온고지신의 마음으로 한식의 전통을 이어가고 있다. 뚜렷한 사계절을 반영하는 음식에서 한식의 깊은 뿌리를 느낄 수 있고, 오랜 연구 끝에 탄생한 아름다운 음식을 통해 감동을 얻을 수 있는 곳이다.

The elegant stonewalled-path of Gyeongbokgung Palace and a modern residential neighborhood stand directly across from each other. A road is all that lies between Seoul's past and present, coexisting side by side. The same contrast is, again, evident in the modern façade of "Onjieum Matgongbang" and elements of tradition one discovers inside. Helmed by Cho Eun-hee, certified trainee of Korean royal court cuisine, and researcher Park Seong-bae, the space is both a research institute and restaurant. The food it offers clearly reflects the four distinct seasons and the refined beauty of Korean cuisine.

12

TEL. 070-4816-6615

종로구 효자로 49, 4층

4F, 49 Hyoja-ro, Jongno-gu

■ 가 격 PRICE

코스 Menu ₩₩₩₩

■ 운영시간 OPENING HOURS

점심 Lunch 12:00-13:00 (L.O.)

저녁 Dinner 18:00-20:00 (L.O.)

■ 휴무일

ANNUAL AND WEEKLY CLOSING

토요일, 일요일, 월요일, 법정 공휴일 휴무

Closed Saturday, Sunday, Monday and Public Holidays

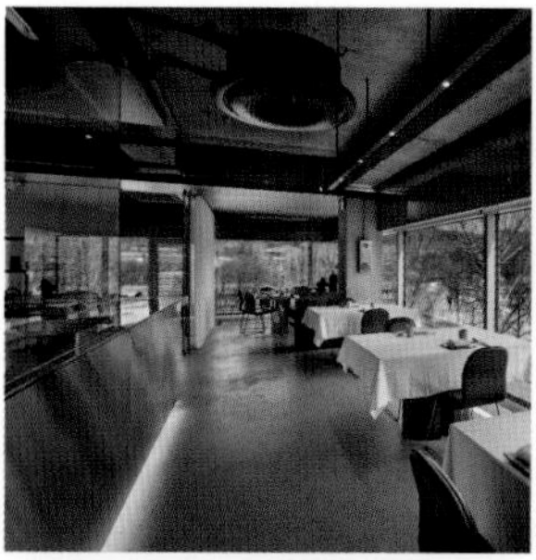

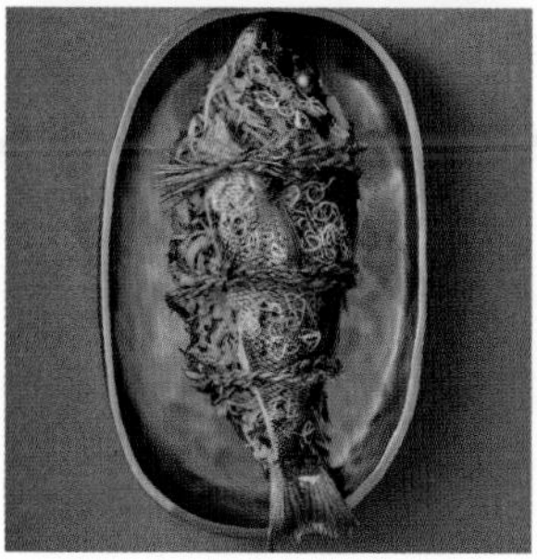

유 유안
YU YUAN
중식 *Chinese*

TEL. 02-6388-5500

종로구 새문안로 97, 포시즌스 호텔 11층

11F Four Seasons Hotel, 97 Saemunan-ro, Jongno-gu

www.fourseasons.com/seoul

■ 가 격 PRICE

점심 Lunch
코스 Menu ₩₩₩ - ₩₩₩₩₩
단품 Carte ₩₩₩ - ₩₩₩₩₩

저녁 Dinner
코스 Menu ₩₩₩₩ - ₩₩₩₩₩
단품 Carte ₩₩₩ - ₩₩₩₩₩

■ 운영시간 OPENING HOURS

점심 Lunch 11:30-14:00 (L.O.)
저녁 Dinner 17:30-21:00 (L.O.)

모던 중국 패션의 절정을 찍었던 1920년대 상하이. 그 화려함을 모티브 삼아 디자인한 중식 전문점 유 유안은 비취색과 금색, 대리석의 은은하고 고급스러운 조화가 매력적인 곳이다. 입구를 지나면서 눈에 들어오는 오리 숙성고는 유 유안이 추구하는 요리의 콘셉트를 잘 보여준다. 광둥식 요리를 앞세우고 있지만, 중국 내 다른 지역의 특색 있는 음식도 함께 선보인다. 이곳의 인기 메뉴는 베이징 덕으로, 반 마리도 주문 가능하다. 주말 브런치도 인기를 끌고 있는데, 유 유안의 수준 높은 딤섬 요리를 맛볼 수 있다.

Inspired by the glitz and glamour of 1920s Shanghai, interior designer André Fu's dining room is drop-dead gorgeous with its alluring jade-colored walls, marbled floors, lavish furniture and refined tableware. The menu features mostly Cantonese dishes, but also offers recipes from other Chinese regions. Highlights include Peking Duck, crispy pork belly and Cantonese-style steamed sea bream. Their weekend dim sum brunch is extremely popular.

한식공간
HANSIKGONGGAN

한식 *Korean*

창덕궁이 내려다보이는 아트 갤러리 아라리오 4층에 위치한 한식공간. 이곳에선 자타 공인 '한식의 대모'라 할 수 있는 조희숙 셰프와 정경일 셰프의 정성 가득한 한식을 맛볼 수 있다. 조 셰프는 오랜 세월에 걸쳐 축적된 노하우의 계승과 한식의 현대적 구현을 목표로 메뉴에 대한 전반적인 감독과 연출을 총괄하고 있다. 그 결과는 끊임없는 메뉴 개발과 연구의 결실로 대중에게 익숙한 요소와 잊혀져 가는 전통의 것을 시대 흐름에 맞게 표현한 맛의 향연이다. 한식의 맛과 멋을 한껏 즐길 수 있는 공간이다.

For a taste of the Korean past mingled with the present, head over to Hansikgonggan, a restaurant helmed by Chef Cho Hee-suk and co-run by Chef Jeong Gyeong-il. Hailed as the godmother of Korean cuisine, Cho is committed to passing on her knowledge — based on years of experience and research — to the younger generation of chefs, while interpreting the traditional flavors with contemporary sensibilities for the modern diner. Look forward to both the expected and the unexpected, with a good dose of love and finesse.

P 20

TEL. 02-747-8104

종로구 율곡로 83번지, 아라리오 스페이스 4층

4F Arario Space, 83 Yulgok-ro, Jongno-gu

■ 가격 PRICE

점심 Lunch

코스 Menu ₩₩₩

저녁 Dinner

코스 Menu ₩₩₩₩

■ 운영시간 OPENING HOURS

점심 Lunch 12:00-14:00 (L.O.)

저녁 Dinner 18:00-20:00 (L.O.)

■ 휴무일

ANNUAL AND WEEKLY CLOSING

1월 1일, 설날, 추석, 일요일 휴무

Closed 1st January, Lunar New Year, Korean Thanksgiving and Sunday

종로구 JONGNO-GU

30

TEL. 02-733-9240

종로구 인사동 10길 11-3

11-3 Insadong 10-gil, Jongno-gu

www.koong.co.kr

■ 가격 PRICE

코스 Menu ₩

단품 Carte ₩ - ₩₩

■ 운영시간 OPENING HOURS

11:30-20:50 (L.O.)

일요일 Sunday 11:30-20:00 (L.O.)

■ 휴무일

ANNUAL AND WEEKLY CLOSING

1월 1일, 설날, 추석 휴무

Closed 1st January, Lunar New Year and Korean Thanksgiving

개성만두 궁
GAESEONG MANDU KOONG

만두 *Mandu*

1970년, 개성 출신의 할머니가 시작해 3대째 계승되어온 개성만두 궁은 딸의 손을 거쳐 현재는 손녀가 운영하고 있다. 개성 만두의 특징은 무엇보다 크고 꽉 찬 속인데, 이곳의 만두소는 배추와 숙주나물을 넉넉히 넣어 담백하고 삼삼한 맛이 일품이다. 만둣국과 떡국엔 양지를 고아 만든 육수를 사용하며, 만두소는 매일 신선한 재료로 정성스레 버무린다. 단아한 한옥에서 건강한 음식의 맛을 즐길 수 있다.

Established in 1970 by an elderly Gaeseong native, this restaurant has been serving Gaeseong-style dumplings for three generations. The dumplings here are large, plump and filled with a generous amount of shredded napa cabbage and mung bean sprouts. The soup broth is made with beef brisket, and the owners prepare the dumplings by hand daily with the freshest ingredients. The traditional Korean hanok setting is both charming and elegant.

꽃, 밥에피다
A FLOWER BLOSSOM ON THE RICE

한식 *Korean*

건강에 민감한 현대인들을 위해 친환경 유기농 재료만을 사용해 정갈한 한 끼 식사를 제공하는 '꽃, 밥에피다'는 인사동에 위치한 한식 레스토랑이다. 식재료뿐 아니라 인테리어, 담음새 등 구석구석 정성이 가득 느껴지는 이곳은 농인 법인에서 직접 운영하며, 유기농 농장에서만 재료를 납품받는다. 이곳의 대표 메뉴는 노란 달걀 지단 보자기에 단아하게 싸여 나오는 '보자기 비빔밥'. 지단을 걷으면 한 송이 꽃이 피어 있는 듯 밥 위에 곱게 놓여 있는 색색가지 나물들이 눈부터 즐겁게 만든다.

Located in a quiet alley away from the touristy bustle of Insa-dong, A Flower Blossom on the Rice is a restaurant that caters to the health-conscious diner, serving wholesome home-cooked fare using only certified organic ingredients sourced straight from the farm. The signature dish at this restaurant is the "Bojagi Bibimbap" — a log of cooked rice topped with five different sautéed vegetables in their multi-colored glory, encased in a crêpe-thin egg omelet resembling a gift, tied with a seaweed ribbon and presented with a single flower on top.

TEL. 02-732-0276

종로구 인사동 16길 3-6

3-6 Insadong 16-gil, Jongno-gu

■ 가 격 PRICE

점심 Lunch
코스 Menu ₩ - ₩₩₩
단품 Carte ₩ - ₩₩

저녁 Dinner
코스 Menu ₩₩ - ₩₩₩
단품 Carte ₩₩

■ 운영시간 OPENING HOURS

점심 Lunch 11:30-14:30 (L.O.)
저녁 Dinner 17:30-20:30 (L.O.)

■ 휴무일
ANNUAL AND WEEKLY CLOSING

1월 1일, 설날, 추석 휴무
Closed 1st January, Lunar New Year and Korean Thanksgiving

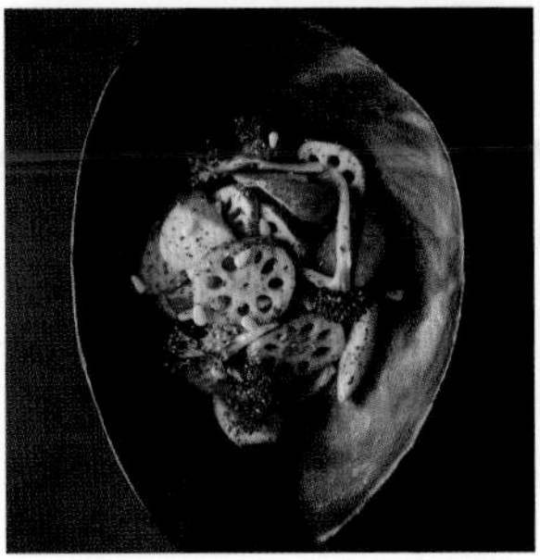

대성집
DAESUNGJIP
도가니탕 *Doganitang*

뽀얗고 맑은 국물에 고기가 붙은 도가니와 쫄깃한 힘줄이 풍성하게 들어 있는 대성집은 해장국집으로 시작해 현재 도가니탕 전문점이 되었다. 진한 국물 속에 가득 담겨있는 도가니에서 소박한 여유와 정감을 느낄 수 있다. 김치와 함께 밥을 가득 말아 특제 간장 소스에 찍어 먹으면 훌륭한 한 끼 식사가 된다. 이곳은 돈의문 뉴타운 개발로 독립문 옆의 현재 위치로 이전했다. 국내산 식재료만을 고집했지만, 수량이 모자라 현재는 미국산을 조금 섞어 사용한다. 늘 문전성시를 이루며, 선택에 따라 포장도 가능하다.

For a soul-satisfying bowl of ox knee soup, look no further than Daesungjip. Its reputation for quality and consistency has seen generations of loyal patrons come for the rich, hearty signature so thick with ox knee cartilage that you can stand a spoon up in it. Take a bite of the slow-cooked cartilage doused in the special soy dipping sauce and all is right in the world. A long queue is the norm here but, thankfully, takeaways are also possible.

P 30

TEL. 02-735-4259

종로구 사직로 5

5 Sajik-ro, Jongno-gu

■ 가격 PRICE

단품 Carte ₩ - ₩₩

■ 운영시간 OPENING HOURS

09:00-20:30 (L.O.)

■ 휴무일
ANNUAL AND WEEKLY CLOSING

설날, 추석, 일요일 휴무

Closed Lunar New Year, Korean Thanksgiving and Sunday

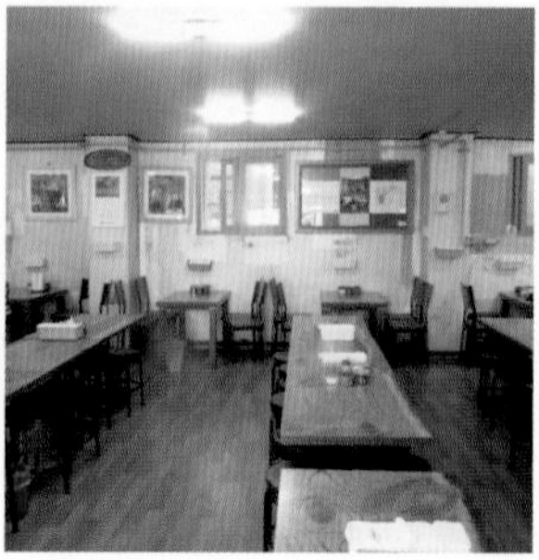

미진
MIJIN
메밀 국수 *Memil-Guksu*

1952년부터 광화문 일대를 지켜온 터줏대감인 미진은 한국식 냉메밀국수 전문점으로, 일본식 소바 쯔유보다 진한 맛의 간장 육수와 더 쫄깃한 식감의 메밀 면발을 선보인다. 식당 지하에 운영하는 공장에서 육수와 면을 직접 생산해 손님들에게 바로바로 제공한다. 한 주전자 가득 담긴 차가운 육수와 테이블마다 인심 좋게 제공하는 메밀국수 고명은 기호에 따라 가감이 가능하다. 숙주와 두부, 신김치와 돼지고기 소로 채운 메밀전병 역시 이 집의 인기 메뉴인데, 1인분의 반인 한 줄씩도 판매한다.

Located in the heart of Gwanghwamun, Mijin has been serving Korean-style cold buckwheat noodles since 1952. The restaurant operates a factory in the basement where the dipping sauce and buckwheat noodles are prepared fresh daily. One portion comes with two stacked tray baskets of noodles, a large kettle of chilled sauce and basic side dishes. Dress your dipping sauce to your desire with grated daikon, light wasabi, crispy seasoned laver and chopped green onions that have already been laid out on the table for you.

TEL. 02-732-1954

종로구 종로 19, 르메이에르 종로타운 117호

#117 le Meilleur Jongno town, 19 Jong-ro, Jongno-gu

■ 가격 PRICE

단품 Carte ₩

■ 운영시간 OPENING HOURS

10:00-21:30 (L.O.)

■ 휴무일

ANNUAL AND WEEKLY CLOSING

설날, 추석 휴무

Closed Lunar New Year and Korean Thanksgiving

TEL. 02-2267-1831

종로구 종로 200-12

200-12 Jong-ro, Jongno-gu

■ 가 격 PRICE

단품 Carte ₩ - ₩₩

■ 운영시간 OPENING HOURS

09:00-21:30 (L.O.)

■ 휴무일
ANNUAL AND WEEKLY CLOSING

설날, 추석, 화요일 휴무
Closed Lunar New Year, Korean Thanksgiving and Tuesday

부촌 육회
BUCHON YUKHOE

육회 *Yukhoe*

국내 최초 사설 시장인 광장시장의 육회 골목 한편에 자리 잡고 있는 부촌 육회. 1965년에 부촌 식당으로 개업한 이곳은 1980년대부터 갈비탕과 함께 전라도식 육회를 조금씩 선보이기 시작했다. 고추장 양념에 버무리는 전라도식 육회를 참기름과 배를 넣은 서울식 육회로 바꾼 이유는 손님들의 입맛에 맞추기 위해서다. 매일 아침 공급받는 신선한 국내산 쇠고기를 사용해 고소한 맛이 일품이다. 이곳에선 육회뿐만 아니라 육회 물회, 육회 비빔밥 같은 메뉴도 선보여 한 끼 식사로 즐기기에도 더할 나위 없다. 광장시장의 활기찬 분위기는 덤이다.

Occupying a corner of the well-established "raw beef alley" of Gwangjang Market, Buchon Yukhoe has been in business since 1965, originally started as Buchon Sikdang selling short rib soup. The founding matriarch's original Jeollado Province-style raw beef, seasoned with red chili paste, gave way to the more popular Seoul-style in the 1980s, seasoned with sesame oil and eaten with matchstick pears. Try the raw beef bibimbap for a more substantial meal. Locally sourced beef is delivered to the restaurant each morning.

삼청동 수제비
SAMCHEONGDONG SUJEBI

수제비 *Sujebi*

삼청동의 역사와 떼려야 뗄 수 없는 삼청동 수제비는 1982년 영업 개시 이래 한자리를 꾸준히 지켜오고 있다. 이곳은 동네 만년 단골손님은 물론 입소문을 듣고 찾아오는 손님들 덕에 늘 문전성시를 이룬다. 이곳의 대표 메뉴인 잡내 없는 깔끔한 멸치 육수에 띄운 얇게 떼어낸 수제비는 부드러운 맛을 자랑하며, 100% 감자만을 이용해 만든 쫄깃한 감자전 또한 또 다른 인기 메뉴다. 줄 서서 기다리기 싫다면 가장 붐비는 정오부터 오후 2시 사이는 피하는 것이 좋지만, 그래도 언제나 늘 만원이다.

This local haunt has been an integral part of Samcheong-dong's history since 1982. The signature dish here is sujebi — rustic hand-pulled dough soup served in a savory anchovy broth. The restaurant is also known for its potato pancakes, made with grated potatoes that are pan-fried until crispy on the outside and pleasantly chewy on the inside. Avoid the lunch rush if you don't want to stand in line, but be warned — the restaurant is always busy.

TEL. 02-735-2965

종로구 삼청로 101-1

101-1 Samcheong-ro, Jongno-gu

■ 가 격 PRICE

단품 Carte ₩

■ 운영시간 OPENING HOURS

11:00-20:30 (L.O.)

용금옥
YONGGEUMOK

추어탕 *Chueotang*

1932년에 영업을 개시한 오랜 전통의 추어탕 전문점 용금옥. 종로구에 위치한 한정자 대표의 용금옥은 중구의 용금옥과 한 뿌리를 두고 있으나 현재는 각자의 길을 걷고 있다. 한국의 대표적 보양식인 추어탕을 사시사철 제공하는 이곳에선 서울식 통추어탕과 삶은 미꾸라지를 갈아 넣은 남도식 추어탕을 함께 선보인다. 좋은 재료로 정성껏 준비하는 모든 음식에는 오랜 세월 용금옥을 지켜온 주인장의 애정 어린 손맛이 고스란히 담겨 있다. 계절을 불문하고 많은 이들의 사랑을 받고 있는 따뜻한 추어탕 한 그릇이 아련한 추억을 선사한다.

Since 1932, Yonggeumok has been offering piping hot bowls of loach soup, a popular local dish believed to boost energy, especially during the summer months. This restaurant serves two different versions of the hearty and comforting soup: the chunkier Seoul style with whole loach, and the smoother Jeolla province style with ground loach. Everything on the menu as well as the complimentary side dishes are prepared daily by the longtime owner and chef Han Jeong-ja.

8

TEL. 02-777-4749

종로구 자하문로 41-2

41-2 Jahamun-ro, Jongno-gu

■ 가격 PRICE

단품 Carte ₩ - ₩₩

■ 운영시간 OPENING HOURS

점심 Lunch 11:30-14:30 (L.O.)
저녁 Dinner 17:00-21:00 (L.O.)

■ 휴무일
ANNUAL AND WEEKLY CLOSING
1월 1일, 설날, 추석, 일요일 휴무
Closed 1st January, Lunar New Year, Korean Thanksgiving and Sunday

이문설농탕
IMUN SEOLNONGTANG

설렁탕 *Seolleongtang*

1900년대 초, 한국의 첫 음식점으로 공식 기재된 종로구 견지동의 이문설농탕. 100여 년이 넘는 역사를 자랑하는 이곳은 오래전 최초로 개업했을 당시 사용했던 '설농탕'이라는 이름을 지금까지 고수하고 있다. 큰 무쇠솥에 17시간 동안 사골을 고아 기름을 말끔히 제거한 후 남은 뽀얗고 맑은 국물 맛이 이 집의 자존심이라 할 수 있다. 전성근 대표는 "좋은 재료로 대중음식점에 걸맞은 단순하지만 맛있는 음식을 제공하는 것이 목표"라고 말한다. 원하는 고기 양에 따라 보통 혹은 특을 선택할 수 있다.

Still going strong after more than 100 years of being in business, Imun Seolnongtang was the first eatery in Korea to officially register for a restaurant license when it opened in 1904. To this day, it honors the tradition of boiling ox bones for 17 hours until the broth turns rich and opaque. Other cuts of beef are later added to the intensely flavorful broth, served with a generous portion of sliced beef and soft wheat noodles.

40

TEL. 02-733-6526

종로구 우정국로 38-13

38-13 Ujeongguk-ro, Jongno-gu

■ 가격 PRICE

단품 Carte ₩ - ₩₩

■ 운영시간 OPENING HOURS

점심 Lunch 08:00-14:30 (L.O.)
저녁 Dinner 17:30-20:40 (L.O.)
주말 Weekend 08:00-19:30 (L.O.)

■ 휴무일
ANNUAL AND WEEKLY CLOSING

1월 1일, 설날, 추석 휴무
Closed 1st January, Lunar New Year and Korean Thanksgiving

20

TEL. 02-379-2648

종로구 백석동길 12

12 Baekseokdong-gil, Jongno-gu

www.jahasonmandoo.com

■ 가격 PRICE

단품 Carte ₩ - ₩₩₩

■ 운영시간 OPENING HOURS

11:00-21:00 (L.O.)

■ 휴무일

ANNUAL AND WEEKLY CLOSING

설날, 추석 휴무

Closed Lunar New Year and Korean Thanksgiving

자하 손만두

JAHA SON MANDU

만두 *Mandu*

할머니와 어머니의 요리 솜씨를 이어받은 박혜경 대표의 자하 손만두. 1993년부터 부암동을 지켜온 만두 전문점으로 박 대표가 살던 집을 개조해 만든 레스토랑이다. 이 집 만둣국의 특징은 일체의 조미료를 배제하고 직접 담근 조선간장으로 맛을 낸 삼삼한 국물에 있다. 국내산 밀가루로 만든 쫄깃한 만두피도 빼놓을 수 없다. 정성껏 준비한 건강한 음식을 푸짐하게 대접하고자 하는 자하 손만두의 소신이 느껴지는 대목이다. 한편, 단아한 내부와 인왕산의 절경이 한눈에 들어오는 훌륭한 조망도 이 집의 매력을 한층 높여준다.

For over two decades, this restaurant has been attracting diners with a rustic dumpling recipe passed down from the owner's mother and her grandmother. Although humble by nature, dumpling dishes are always elegantly presented. Their signature dish is mandutguk: plump pork, bean curd and vegetable dumplings nestled in a delicate beef broth, seasoned with homemade soy sauce. The main dining room offers a spectacular view of nearby Inwangsan Mountain.

할매집
HALMAEJIP

족발 *Jokbal*

1975년, 문경자 할머니가 내자동에서 창업한 후 2006년에 현재 위치로 이전했다. 여타 다른 곳과는 달리 고춧가루로 매운맛을 내기 때문에 잡내 없는 깔끔한 맛을 느낄 수 있다. 감자탕도 깻잎과 들깻가루가 아닌 콩나물과 부추만을 사용해 시원하고 알싸한 맛이 일품이다. 여전히 주방 일을 도맡아 하시는 할머님이 테이블마다 돌아다니며 맛있게 먹는 법을 설명해주신다. 지방과 살이 많은 뒷다리와 지방은 적지만 부드러운 앞다리 중 선택은 자유다. 양도 푸짐하므로 여러 명이 함께 가길 추천한다.

The original matriarch who opened this restaurant is still the heart and soul of the kitchen which has been dishing up legendary pork backbone stew and braised pig's feet since 1975. Chili powder is the only spicy agent used to add the pleasant kick to the taste. It's a common sight to see Mrs. Mun, walking around showing her patrons how to eat her food "the right way."

40

TEL. 02-735-2608

종로구 사직로 12길 1-5

1-5 Sajik-ro 12-gil, Jongno-gu

■ 가 격 PRICE

단품 Carte ₩₩

■ 운영시간 OPENING HOURS

12:00-21:30 (L.O.)

■ 휴무일
ANNUAL AND WEEKLY CLOSING
설날, 추석 휴무
Closed Lunar New Year and Korean Thanksgiving

황생가 칼국수
HWANGSAENGGA KALGUKSU

칼국수 *Kalguksu*

30

TEL. 02-739-6334

종로구 북촌로5길 78

78 Bukchon-ro 5-gil, Jongno-gu

■ 가격 PRICE

단품 Carte ₩ - ₩₩₩

■ 운영시간 OPENING HOURS

11:00-20:40 (L.O.)

■ 휴무일
ANNUAL AND WEEKLY CLOSING

설날, 추석 휴무
Closed Lunar New Year and Korean Thanksgiving

하루 종일 길게 줄을 서는 이곳은 칼국수와 만두 전문점이다. 2001년에 북촌 칼국수로 시작해 2014년에 황생가 칼국수로 상호를 변경했지만, 예나 지금이나 맛있는 사골 칼국수와 만두를 먹기 위해 이곳을 찾는 손님들의 발걸음은 여전하다. 입구에서 잰 손놀림으로 만드는 왕만두는 매일 아침, 시장에서 선별한 신선한 재료로 그때그때 빚어 더없이 신선하다. 부드러운 칼국수의 면과 깊은 사골 육수의 맛이 일품이고, 옛날식 수육과 여름 한철 선보이는 콩국수도 별미이니 꼭 한번 맛보길 바란다.

No matter what time of day, always expect to see a line outside this beloved establishment, known for their humble noodle soup and dumplings. Originally called Bukchon Kalguksu when it opened in 2001, it changed its name in 2014, but that hasn't stopped the regulars from coming time and again for its freshly made dumplings and silky-soft noodles served in a rich ox bone broth. Boiled beef slices and noodles in cold soybean soup are also popular.

종로구 JONGNO-GU

두레유
DOOREYOO

한식 *Korean*

토니 유 셰프의 두레유는 '전통으로의 회귀'를 콘셉트로 전통의 맛에 충실한 요리들을 선보인다. 토장 소스를 곁들인 소고기 구이 토장설야멱 등 우리에게 다소 생소한 전통 음식들을 맛볼 수 있는 것이 특징이다. 두레유에선 각종 장류와 김치등의 전통 발효 음식들을 직접 담가 사용한다. 한편, 셰프 테이스팅 코스 메뉴인 사찰식 채식 코스와 한국 채집 요리 코스는 최소 이틀 전 예약해야만 주문이 가능하다.

Located in a quaint neighborhood in Gahoe-dong, Dooreyoo is Chef Tony Yoo's Korean restaurant. From temple vegetable preparation methods to full-course han-jeongsik-style meals, Yoo draws inspiration from the way Koreans have been eating for centuries. He and his team spend much of their time preparing fermented staples like kimchi and sauces on the small rooftop of the restaurant.

6

TEL. 02-743-2468

종로구 북촌로 65

65 Bukchon-ro, Jongno-gu

www.dooreyoo.com

■ 가격 PRICE

점심 Lunch

코스 Menu ₩₩ - ₩₩₩₩₩

저녁 Dinner

코스 Menu ₩₩₩ - ₩₩₩₩₩

■ 운영시간 OPENING HOURS

점심 Lunch 11:30-14:00 (L.O.)

저녁 Dinner 17:30-20:30 (L.O.)

■ 휴무일

ANNUAL AND WEEKLY CLOSING

설날, 추석 휴무

Closed Lunar New Year and Korean Thanksgiving

TEL. 02-730-7787

종로구 자하문로 16길 4

4 Jahamun-ro 16-gil, Jongno-gu

■ 가 격 PRICE

점심 Lunch

코스 Menu ₩₩ - ₩₩₩

저녁 Dinner

코스 Menu ₩₩₩ - ₩₩₩₩

■ 운영시간 OPENING HOURS

점심 Lunch 12:00-13:00 (L.O.)

저녁 Dinner 18:00-19:30 (L.O.)

토요일, 공휴일 Saturday and public holiday
18:00-19:00 (L.O.)

■ 휴무일
ANNUAL AND WEEKLY CLOSING

설날, 추석, 일요일, 마지막 주 월요일 휴무
Closed Lunar New Year, Korean Thanksgiving, Sunday and last Monday of the month

서촌김씨
SEOCHON CHEF KIM

이탤리언 *Italian*

활기 넘치는 서촌 분위기와는 대조되는 고즈넉한 도로변에 위치한 이탤리언 레스토랑 서촌김씨. 한국과 이탈리아의 정서가 묘하게 뒤섞여있는 공간으로 구석구석 셰프의 손길이 닿지 않은 곳이 없다. 복잡한 것보다는 직관적인 것이 좋다는 셰프의 철학은 그의 요리에도 그대로 반영된다. 계절별로 변화를 주는 라비올리, 시칠리아의 명물 아란치니, 피에몬테 지방을 대표하는 비텔로 톤나토를 살짝 변화시킨 듀록 톤나토 등 이탈리아의 다양한 지역 요리를 맛볼 수 있다. 이곳에선 모든 종류의 파스타를 매일 직접 만든다.

Tucked away in a quiet nook of a bustling neighborhood west of Gyeongbokgung Palace, Seochon Chef Kim is an Italian osteria that serves up some classic dishes from various regions of Italy. Chef Kim Dohyung prepares all the fresh pastas in his kitchen, daily, including ravioli — the variety of which changes seasonally — and lasagna. Fan favorites include arancini, Duroc tonnato (Chef Kim's reinterpretation of the classic Piedmontese dish using Duroc pork) and sea urchin pasta. The menu items are subject to change according to seasonality and availability.

이태리재
ITALYJAE
이탤리언 *Italian*

운치 있는 소격동 작은 골목길에 위치한 초록 대문의 이태리재는 초행이라면 찾기 힘들 만큼 꼭꼭 숨어 있다. 아담한 한옥을 개조해 만든 레스토랑으로 클래식한 유럽풍의 바닥 타일과 전통 나무 자재가 세련된 조화를 이루는, 작지만 꽉 찬 느낌을 주는 곳이다. '치케티'라는 한입거리 요리를 자신 있게 선보이는 전일찬 셰프는 본인이 만든 음식에 대해 손님들과 소통할 때가 가장 즐겁다고 한다. 맛있는 정통 베네치아식 음식을 합리적인 가격에 즐기고 싶다면 이태리재에 방문해볼 것.

Tucked away in a small alley in the quaint neighborhood of Sogyeok-dong, Italyjae charms at first sight. Walk through the green sliding doors of the traditional hanok building and you are immediately greeted by the sun-drenched counter and an airy open kitchen, visible from every angle of the cozy restaurant, which is a pleasing mix of traditional and old-school European styles. Cicchetti, small snacks or side dishes, common in Venice, are their specialty.

TEL. 070-4233-6262

종로구 율곡로 1길 74-9

74-9 Yulgok-ro 1-gil, Jongno-gu

■ 가 격 PRICE

단품 Carte ₩₩ - ₩₩₩

■ 운영시간 OPENING HOURS

점심 Lunch 12:00-15:00 (L.O.)
저녁 Dinner 18:00-22:00 (L.O.)

■ 휴무일
ANNUAL AND WEEKLY CLOSING
월요일, 둘째, 넷째 주 일요일 휴무
Closed Monday and 2nd & 4th Sunday of the month

주반
JUBAN
아시안 *Asian*

TEL. 02-3210-3737

종로구 사직로9가길 12

12 Sajik-ro 9ga-gil, Jongno-gu

■ 가 격 PRICE

저녁 Dinner

코스 Menu ₩₩₩

단품 Carte ₩ - ₩₩₩

■ 운영시간 OPENING HOURS

저녁 Dinner 18:00-23:00 (L.O.)

토요일, 일요일 Saturday and Sunday

14:00-23:00 (L.O.)

■ 휴무일

ANNUAL AND WEEKLY CLOSING

설날, 추석 휴무

Closed Lunar New Year and Korean Thanksgiving

영광굴비와 감자로 만든 부드러운 무스 요리 '영광-니스'. 된장과 유자 폰즈, 성게알을 갈아 완도산 광어와 무쳐 내는 '신사유람단'. 음식의 재료부터 톡톡 튀는 이름까지 어느 것 하나 평범하지 않은 주반은 한국인에게 친근한 맛과 전 세계 다양한 음식 문화의 이국적인 요소를 잘 접목시킨, 유일무이하면서도 금세 친숙해질 수 요리들을 선보이는 곳이다. 한옥의 멋이 잘 살아있는 아늑한 실내 혹은 아담하고 예쁜 안뜰을 바라보며 전통 가옥의 운치를 한껏 느낄 수 있는 툇마루에 앉아 기울이는 술 한잔은 어떨까?

Located in a non-descript back alley of Sajik-dong, a stone's throw from the bustle of Seochon, Juban is a space of contrasts. Walk through the restaurant's Mediterranean-blue gate and you will find yourself standing in a charming little courtyard facing a beautifully renovated hanok building. The menu consists of entirely original dishes with quirky names like "Yeonggwang-Nice," a velvety soft mousse made with dried yellow croaker and potatoes, or "Sin-sayuramdan" — sliced raw halibut seasoned with soybean paste, yuzu Ponzu and sea urchin sauce.

호텔
HOTELS

포시즌스
FOUR SEASONS

2015년 10월에 오픈한 럭셔리 호텔로, 비즈니스 업무는 물론 서울의 명소들이 인접해 관광이 편리한 광화문에 자리하고 있다. 이곳엔 일반 객실, 스위트, 스페셜 스위트로 분류한 317개의 객실과 전 세계 포시즌스 호텔 중 최대 규모를 자랑하는 피트니스센터가 들어서 있다. 자연 채광이 훌륭한 통창으로는 청계천, 경복궁, 그리고 N서울타워가 한눈에 들어온다. 또한 다양한 월드 퀴진을 맛볼 수 있는 고급 레스토랑과 바, 스파 트리트먼트 룸, 사우나 등의 부대시설을 갖춰 고객에게 편의와 즐거움을 제공한다.

Located in the heart of Seoul, a short walking distance from the city's major attractions including Gyeongbokgung Palace, Cheonggyecheon Stream and Seoul Plaza, the Four Seasons Hotel is all about comfort and luxury. Its ivory-colored guestrooms are an elegant blend of modern and traditional décor, complete with top-of-the-line mattresses and beds to ensure a good night's sleep. The restaurants serve some of the best dining the city has to offer.

TEL. 02-6388-5000
www.fourseasons.com/seoul
종로구 새문안로 97
97 Saemunan-ro, Jongno-gu

2인 룸 평균 가격 Price for 2 persons:
₩₩₩

객실 Rooms 317

추천 레스토랑 Recommended restaurants:
Yu Yuan

JW 메리어트 동대문 스퀘어
JW MARRIOTT DONGDAEMUN SQUARE

보물 제1호인 흥인지문 인근에 자리한 까닭에 현대적인 외관이 더욱 눈에 띄는 JW 메리어트 동대문 스퀘어 서울. 모던한 인테리어와 넓은 실내, 자연광이 풍부한 객실 등이 장점이다. 이곳의 클럽 501에 있는 25m 길이의 수영장과 실내 골프 연습장, 그리고 편안한 스파는 많은 이들이 즐겨 찾는 곳이다. 쇼핑의 메카인 동대문의 다양한 볼거리와 함께 비즈니스 고객들이 머물기에도 더할 나위 없다.

Located across from the iconic Dongdaemun Design Plaza, this 21st-century building stands in stark contrast to Heunginjimun Gate, a Seoul landmark originally built in 1398. The bedrooms are modern, spacious and comfortable. Each has plenty of natural light thanks to the floor-to-ceiling windows. The swimming pool, the fitness room, spa and golf simulators at Club 501 provide the perfect outlet for leisure and relaxation.

TEL. 02-2276-3000
www.jwmarriottddm.com

종로구 청계천로 279
279 Cheonggyecheon-ro, Jongno-gu

2인 룸 평균 가격 Price for 2 persons: ₩₩₩

객실 Rooms 170

락고재
RAKKOJAE

1880년에 지어진 전통 가옥이 철거 위기에 놓였다는 이야기를 들은 대표가 한옥 네 채를 매입해 장인들의 도움을 받아 한 채의 집으로 개조한 것이 지금의 락고재다. 서울에서는 보기 드문 고즈넉한 분위기의 이 한옥 부티크 호텔은 잘 가꿔진 안마당과 별채로 나뉘어 있다. 마당 한편에 마련한 찜질방은 그윽한 쑥 향을 음미하며 휴식을 취하기에 더할 나위 없는 장소로 외국인 투숙객들에게도 인기 만점이다. 객실료에 포함돼 있는 아침과 저녁 식사는 객실로 직접 가져다 준다.

This boutique hotel, built in the late 19th century, is in a class of its own. From the entrance, the traditional hanok architecture will make you feel like you have been transported back in time. The hotel was originally four separate houses, purchased by the current owner and beautifully restored with the help of local hanok artisans. Complimentary breakfast and dinner are served in the comfort of your room. Traditional Korean floor bedding.

TEL. 02-742-3410
http://rkj.co.kr
종로구 계동길 49-23
49-23 Gyedong-gil, Jongno-gu

2인 룸 평균 가격 Price for 2 persons: ₩₩

객실 Rooms 4

보눔 1957 한옥 앤 부티크
BONUM 1957 HANOK AND BOUTIQUE

가회동에 비밀스럽게 자리 잡은 보눔 1957. 기존에 있던 한옥 한 채와 바로 옆에 위치한 양옥 한 채를 게스트룸으로 개조했다. 서울 한복판에서는 쉽게 찾아볼 수 없는 넓은 뜰과 멋스러운 테라스가 마치 도심 외곽에 나와 있는 듯한 착각을 불러일으킨다. 가회동의 예스러운 지붕 사이로 보이는 서울 풍경이 너무나 매력적이며, 게스트룸은 취향에 따라 온돌과 침대방 중 선택이 가능하다. 한옥의 정취와 호텔의 안락함을 동시에 만끽하길 원한다면 이곳이 제격이다.

Marrying the traditional charm of an old Korean hanok and the comfort of a modern boutique hotel, Bonum 1957 Hanok & Boutique offers the best of both worlds. A renovated authentic hanok and its adjacent Western-style house constitute this quiet haven located in a heritage district of Seoul city. Guests can choose between a traditional Korean-style floor bedding and a Western-style bedroom. The accommodation is complete with a spacious garden, hard to come by in the city, as well as a terrace with a view.

TEL. 02-763-1957
http://bonum1957.com
종로구 북촌로 53
53 Bukchon-ro, Jongno-gu
2인룸 평균 가격 Price for 2 persons: ₩
객실 Rooms 10

RomanBabakin/iStock

중구
JUNG-GU

레스토랑
RESTAURANTS

✿✿✿

라연
LA YEON

한식 *Korean*

품격 있는 한식 정찬을 선보이는 라연은 전통 한식을 현대적인 조리법으로 세련되게 표현해낸다. 전망 좋은 신라호텔 23층에 자리해 시원한 남산 경관을 감상할 수 있는 이곳은 한국의 전통 문양을 활용한 기품 있는 인테리어가 인상적이다. 우아하고 편안한 식사 경험을 제공하기 위해 구비한 고급 식기와 백자를 형상화한 그릇은 레스토랑이 지향하는 또 다른 차원의 섬세함을 잘 드러낸다. 현대적으로 재해석한 메뉴에 와인을 조합해 즐길 수 있으며, 요구하지 않아도 세심한 배려가 돋보이는 서비스는 이곳의 또 다른 매력이다.

Time-honored traditions of Korean cuisine are given a contemporary touch at La Yeon. Located on the 23rd floor of The Shilla Hotel, this refined dining space offers stunning vistas over Namsan Park. It's the details here that are noteworthy, from the fine tableware to the attentive service. Hansik and wine pairings elevate the dining experience to another level.

P 10

TEL. 02-2230-3367

중구 동호로 249, 신라호텔 23층

23F The Shilla Hotel,
249 Dongho-ro, Jung-gu

www.shillahotels.com

■ 가 격 PRICE

점심 Lunch
코스 Menu ₩₩₩₩

저녁 Dinner
코스 Menu ₩₩₩₩ - ₩₩₩₩₩

■ 운영시간 OPENING HOURS

점심 Lunch 12:00-13:30 (L.O.)
저녁 Dinner 18:00-21:00 (L.O.)

TEL. 02-532-0876

중구 퇴계로6가길 30, 3층

3F, 30 Toegye-ro 6ga-gil, Jung-gu

■ 가격 PRICE

점심 Lunch
코스 Menu ₩₩₩

저녁 Dinner
코스 Menu ₩₩₩₩

■ 운영시간 OPENING HOURS

점심 Lunch 12:00-14:00 (L.O.)
저녁 Dinner 18:00-20:00 (L.O.)

■ 휴무일
ANNUAL AND WEEKLY CLOSING

1월 1일, 설날, 추석, 일요일, 월요일 휴무
Closed 1st January, Lunar New Year, Korean Thanksgiving, Sunday and Monday

제로 컴플렉스
ZERO COMPLEX

이노베이티브 *Innovative*

시간이 지날수록 제로 컴플렉스의 요리는 뚜렷한 색깔을 뽐낸다. 맛의 조화와 균형을 가장 중요시하는 이충후 셰프의 접근법은 개성 있고 창의적인 요리로 이어진다. 백지처럼 깨끗한 레스토랑의 인테리어도 이곳 음식의 한몫을 담당한다. 레스토랑 건물 앞에 온실을 만들어 각종 허브와 채소를 재배하는 정성과 재료 본연의 맛을 최대한 살리기 위해 활용하는 조리법에서 그의 고집스러운 요리 세계를 엿볼 수 있다. 내추럴 와인에 집중하는 소믈리에의 페어링 또한 이곳의 음식과 결을 함께한다.

Increasingly assertive and self-assured, the evolution of Zero Complex is founded on Chef Lee Chung-hu's philosophy that balance and harmony hold the key to great food. The outcome of his approach to cooking is authentic and creative dishes, served in a near-sterile space that provides the blank canvas for Chef Lee's inventions. Lee grows many of his own herbs and vegetables in the greenhouse in front of the restaurant building. The French sommelier's natural wine pairings round out the flavors and textures, bringing the meal full circle.

주옥
JOO OK

코리안 컨템퍼러리 *Korean contemporary*

구슬과 옥 같은 귀한 요리를 선보이고자 하는 신창호 셰프의 마음이 담긴 '주옥'. 시대의 흐름과 수요에 따라 한식의 모습은 진화하지만 장(醬)과 초(醋)처럼 오랜 전통을 가진 발효 문화는 쉽게 변하지 않는다. 주옥이 선보이는 음식의 출발점은 바로 직접 담가 발효시킨 30여 가지의 초와 장이다. 전국을 돌며 직접 조달한 식재료, 그리고 진주의 가족 텃밭에서 손수 재배해 짠 들깨 기름 등에서 손님을 극진히 대접하고자 하는 신창호 셰프의 정성을 느낄 수 있다. 더 플라자 호텔 3층에 위치한 주옥의 새로운 공간에서 역동적인 서울 시내의 정취를 물씬 느껴보자.

The name of the restaurant "Joo Ok" embodies the simple philosophy of Chef Shin Chang-ho, which is to serve dishes that are as exquisite as precious gems. Shin's culinary creations are a testament to how a city's food culture deeply rooted in tradition withstands the test of time. The restaurant's most prized ingredients consist of some 30 different varieties of fermented condiments; shots of house-made vinegar are offered as an aperitif before the meal. The restaurant's celebrated perilla oil is pressed from perilla seeds harvested from his family's farm in Jinju. The new location of Joo Ok offers a great view of one of the most dynamic areas of the city.

10

TEL. 02-518-9393

중구 소공로 119, 더 플라자호텔 3층

3F The Plaza Hotel, 119 Sogong-ro, Jung-gu

■ 가 격 PRICE

점심 Lunch
코스 Menu ₩₩₩

저녁 Dinner
코스 Menu ₩₩₩₩

■ 운영시간 OPENING HOURS

점심 Lunch 12:00-13:30 (L.O.)
저녁 Dinner 18:30-20:00 (L.O.)

■ 휴무일
ANNUAL AND WEEKLY CLOSING

설날, 추석 휴무
Closed Lunar New Year and Korean Thanksgiving

피에르 가니에르
PIERRE GAGNAIRE
프렌치 컨템퍼러리 French contemporary

TEL. 02-317-7181

중구 을지로 30, 롯데호텔 35층

35F Lotte Hotel, 30 Eulji-ro, Jung-gu

www.pierregagnaire.co.kr

■ 가격 PRICE

점심 Lunch

코스 Menu ₩₩₩ - ₩₩₩₩₩

저녁 Dinner

코스 Menu ₩₩₩₩ - ₩₩₩₩₩

■ 운영시간 OPENING HOURS

점심 Lunch 12:00-14:00 (L.O.)

저녁 Dinner 18:00-21:00 (L.O.)

■ 휴무일

ANNUAL AND WEEKLY CLOSING

설날, 추석 휴무

Closed Lunar New Year and Korean Thanksgiving

소공동 롯데 호텔 신관 최상층에 위치한 이곳은 프랑스 파리 출신의 세계적인 셰프 피에르 가니에르가 2008년 오픈한 프렌치 파인 다이닝 레스토랑이다. 고급 인테리어와 우아한 다이닝 공간을 자랑하는 이곳은 피에르 가니에르 셰프의 팀이 한국의 식재료를 바탕으로 만들어 내는 모던한 프랑스 요리를 선보이고 있다. 250여 종 이상의 고급 와인이 준비되어 있는 유리 와인 저장고와 모든 룸에서 내려다보이는 멋진 도심 경관은 시각적 즐거움도 충족시켜 준다. 정중하고 전문적인 서비스도 매력적이다.

Internationally celebrated French Chef Pierre Gagnaire opened his eponymous contemporary fine dining restaurant on top of Lotte Hotel's New Wing in 2008. The elegant dining space, adorned with Murano chandeliers and gold trim walls, exudes classic French luxury. The artfully presented food, made with 80% local ingredients, is respectful of the Paris-based chef's creative style. With more than 250 labels, the wine cellar display also impresses.

광화문 국밥
GWANGHWAMUN GUKBAP

돼지국밥 *Dwaeji-Gukbap*

광화문 국밥은 박찬일 셰프가 운영하는 돼지국밥 전문점으로, 흰색 간판의 정갈한 이미지가 그의 음식과 꼭 닮아 있다. 흑돼지 엉덩이 살과 듀록 돼지 어깨 살로만 맛을 내는 이곳의 돼지국밥은 맑고 깨끗한 동시에 은은한 향과 깊은 맛을 자랑한다. 국밥이지만 국물과 밥을 따로 내는 이유는 갓 지은 밥맛을 최대한 살리기 위해서라고 한다. 거기에 넉넉하게 올려 내는 부추 고명이 육수에 향긋함을 더해준다. 편안하게 한 끼 식사를 즐기기에 안성맞춤인 곳이다.

The restaurant's clean white signage says it all. Chef Park Chan-il's dwaeji-gukbap or pork and rice soup looks and tastes unadulterated. Prepared simply by boiling black pork ham and Duroc pork shoulder cuts, the clear broth is fragrant and profoundly flavorful. Although "gukbap" is commonly served with rice already mixed into the hot soup, Park serves the two separately, to preserve the taste of freshly steamed rice. The heaping of chopped chives added to the soup just before it is served renders the broth wonderfully aromatic.

P

TEL. 02-738-5688

중구 세종대로 21길 53

53 Sejong-daero 21-gil, Jung-gu

■ 가 격 PRICE

단품 Carte ₩ - ₩₩₩

■ 운영시간 OPENING HOURS

11:30-21:30 (L.O.)

■ 휴무일
ANNUAL AND WEEKLY CLOSING

설날, 추석, 일요일 휴무

Closed Lunar New Year, Korean Thanksgiving and Sunday

TEL. 02-2231-0561

중구 다산로 149

149 Dasan-ro, Jung-gu

■ 가 격 PRICE

단품 Carte ₩

■ 운영시간 OPENING HOURS

12:00-01:00 (L.O.)

금돼지식당

GEUMDWAEJI SIKDANG

바비큐 *Barbecue*

신당동 길가에 자리한, 흰색 타일에 황금색 간판이 눈에 띄는 금돼지식당은 식사 시간이 아닌데도 문밖으로 길게 줄 서 있는 풍경이 낯설지 않을 만큼 인기가 높다. 이곳의 대표는 살코기의 풍부한 육즙, 탄력 있고 쫄깃한 식감, 그리고 지방의 풍미가 잘 살아 있는 돼지 품종을 찾기 위해 오랜 시간을 투자했는데, 그 답은 요크셔와 버크셔, 그리고 듀록 돼지의 교배종인 YBD 돼지에 있었다고 한다. 갈비뼈가 붙어 있는 본삼겹과 등 목살 등의 특수 부위를 연탄불에 달군 주물 판에 구우면 고기가 타지 않고 맛있게 익는다. 그 흔한 돼지고기지만, 한번 맛보면 절대 잊을 수 없을 것이다. 예약은 받지 않는다.

Located along a main road in Sindang-dong, Geumdwaeji Sikdang can be easily spotted by its gold-on-white-tile signage and the queue outside the door long after peak dining hours. The establishment serves up fine cuts of YBD pig, a cross breed between Yorkshire, Berkshire and Duroc. The texture of the pork is firm and meaty, with a good balance of flavorful fat that renders the meat supremely juicy. Items are cooked on a cast-iron grill over coal briquettes that help keep the temperature constant. The restaurant does not accept reservations.

금산제면소
KUMSAN NOODLE FACTORY

탄탄면 *Dandan Noodles*

금산제면소는 정창욱 셰프가 운영하는 면 요리 전문점이다. 회현동 언덕에 자리한 이곳은 식당보다 더 넓은 제면소를 갖추고 매일 신선한 면을 직접 만들어 손님에게 제공한다. 정 셰프는 제면 공부를 위해 일본에 유학까지 다녀왔다. 이곳에서 선보이는 국물 없는 비빔면 스타일의 면 요리엔 산초와 고춧가루, 흑식초와 고추기름을 얹어 낸다. 쫄깃한 식감이 일품인 면 요리엔 부드러운 온천 달걀과 얼얼하게 매운 마라 등의 토핑을 추가할 수 있다. 이곳에선 따로 예약을 받지 않고, 그날 만든 면이 소진되면 영업을 종료한다.

Take a glance at Kumsan Noodle Factory's production facility and it's easy to see that the restaurant takes its noodle making very seriously — the space where the fresh noodles are made daily is larger than the dining hall. Chef Jeong Chang-wook's passion for these strands took him to Japan where he studied the art of noodle making. His spicy dandan noodles are topped with a generous mix of Sichuan peppercorns, chili powder, black vinegar and chili oil. For a little extra, diners can add a soft-boiled egg and some tongue-tingling mala sauce. It's open until the noodles sell out.

TEL. None

중구 소공로6길 13

13 Sogong-ro 6-gil, Jung-gu

■ 가 격 PRICE

단품 Carte ₩

■ 운영시간 OPENING HOURS

점심 Lunch 11:00-14:45(L.O.)
저녁 Dinner 16:00-19:45 (L.O.)
주말, 공휴일 Weekend and public holiday
11:00-19:45 (L.O.)

■ 휴무일
ANNUAL AND WEEKLY CLOSING
설날, 추석 휴무
Closed Lunar New Year and Korean Thanksgiving

남포면옥
NAMPO MYEONOK

냉면 *Naengmyeon*

90

TEL. 02-777-3131

중구 을지로3길 24

24 Eulji-ro 3-gil, Jung-gu

■ 가격 PRICE

단품 Carte ₩ - ₩₩₩

■ 운영시간 OPENING HOURS

11:30-21:30 (L.O.)

■ 휴무일
ANNUAL AND WEEKLY CLOSING
설날, 추석 휴무
Closed Lunar New Year and Korean Thanksgiving

2017년 초 본관 보수공사를 마친 남포면옥은 사람들의 발길이 끊기지 않는 오피스 빌딩 밀집 지역의 활기 넘치는 좁은 골목에 위치한 이북식 냉면집이다. 평양식 냉면, 어복쟁반, 전 요리를 전문으로 하는 남포면옥은 남녀노소를 불문하고 오랜 세월에 걸쳐 대중적인 사랑을 받아왔다. 늘 손님들로 분주한 분위기 속에서도 군더더기 없는 서비스와 한결같이 밝은 종업원들의 응대가 매력적인 남포면옥은 테이블식 좌석과 방석식 테이블의 룸으로 구성되어 있다.

Tucked away in a small alley among densely populated office buildings that sees a constant stream of foot traffic, the main building of this long-standing institution recently underwent a major facelift. A longtime favorite among patrons of all ages for its authentic Pyeongyang cold buckwheat noodles and beef hot pot, Nampo Myeonok continues to charm with its consistently good food and friendly service. Chair seating and floor seating are both available.

만족오향족발
MANJOK OHYANG JOKBAL

족발 *Jokbal*

예로부터 한국인들의 대중적인 사랑을 받아온 족발을 '최고의 맛으로 제공하자'는 일념하에 달려온 만족오향족발은 철저한 위생 관리는 물론, 중앙 공급 시스템과 통합 물류 시스템을 체계적으로 운영해 전 매장에서 균등한 품질의 족발을 제공한다. 국내 최초로 온족을 개발한 이곳은 묵묵히 한길을 걸어온 전문점답게 품질 만족도가 높은 편이다. 현재 세 곳의 직영점을 운영하고 있다.

At Manjok Oyhang Jokbal, the beloved Korean braised pig's feet dish is impeccably crafted with the utmost dedication and care to hygiene and quality. The restaurant, armed with a systematic central distribution system, offers consistent quality at all of its franchised locations. Here, the popular pork dish can be enjoyed warm until the very last piece, thanks to the specially designed hotplates installed into the tables.

30

TEL. 02-753-4755

중구 서소문로 134-7

134-7 Seosomun-ro, Jung-gu

www.manjok.net

■ 가격 PRICE

점심 Lunch

단품 Carte ₩ - ₩₩₩

저녁 Dinner

단품 Carte ₩₩ - ₩₩₩

■ 운영시간 OPENING HOURS

11:30-22:30 (L.O.)

■ 휴무일

ANNUAL AND WEEKLY CLOSING

설날, 추석 휴무

Closed Lunar New Year and Korean Thanksgiving

TEL. 02-776-5348

중구 명동 10길 29

29 Myeongdong 10-gil, Jung-gu

www.mdkj.co.kr

■ 가격 PRICE

단품 Carte ₩

■ 운영시간 OPENING HOURS

10:30-21:30 (L.O.)

■ 휴무일
ANNUAL AND WEEKLY CLOSING

설날, 추석 휴무
Closed Lunar New Year and Korean Thanksgiving

명동교자
MYEONGDONG KYOJA

칼국수 *Kalguksu*

1966년에 개점한 명동교자는 전통 조리법을 고수하는 칼국수 전문점으로 가족 경영 음식점이다. 선보이는 메뉴는 4가지 품목으로 단출하지만, 만두와 칼국수는 오랫동안 이곳을 대중들에게 알린 대표 메뉴라 할 수 있다. 소박한 서비스와 인테리어, 합리적인 가격 덕에 명동교자 밖에는 항상 손님들이 줄지어 문전성시를 이룬다. 한편, 같은 구역에 본점과 동일한 메뉴를 제공하는 2호점을 운영하고 있다.

Myeongdong Kyoja is a family-owned place in operation since 1966. The restaurant, which offers only four items on the menu, specializes in dumplings and noodle soup. An impressive number of patrons flock here daily, largely because all the dishes, including its signature garlic-laden kimchi, are made in-house. Simple décor and service come with hefty portions at affordable prices. It has a sister operation in the same area of Myeong-dong.

오장동 함흥냉면
OJANGDONG HAMHEUNG NAENGMYEON

냉면 *Naengmyeon*

최근 몇 년 동안 각광받고 있는 평양냉면과는 또 다른 매력으로 사랑받아온 함흥식 냉면 전문점. 2015년 11월에 재단장을 마친 오장동 함흥냉면은 1953년 개업한 이래로 지금까지 한자리를 꾸준히 지켜온, 오랜 역사를 지닌 가족 경영 음식점이다. 이곳의 간판 메뉴는 함흥식 냉면의 특징을 제대로 살린, 매콤함에 감칠맛까지 더한 이 집의 특제 양념으로 조리한 비빔냉면이다. 오랫동안 냉면 애호가들의 사랑을 받아온, 소박하지만 정성이 가득 담긴 함흥냉면을 즐기기에 제격인 곳이다.

This family-owned establishment has been in business since 1953 serving their specialty, Hamheung cold buckwheat noodles. They are typically made from potato starch, which gives the extra thin noodles their distinct chewy texture, unlike the thicker and less springy Pyeongyang cold buckwheat noodles. The signature dish to try here is spicy buckwheat noodles, served with a sweet and spicy sauce, cold beef slices and a halved boiled egg.

P 24

TEL. 02-2267-9500

중구 마른내로 108

108 Mareunnae-ro, Jung-gu

■ 가격 PRICE

단품 Carte ₩

■ 운영시간 OPENING HOURS

11:30-20:00 (L.O.)

■ 휴무일
ANNUAL AND WEEKLY CLOSING

설날, 추석, 첫째, 셋째 주 화요일 휴무
Closed Lunar New Year, Korean Thanksgiving and 1st & 3rd Tuesday of the month

우래옥
WOO LAE OAK

냉면 *Naengmyeon*

16

TEL. 02-2265-0151

중구 창경궁로 62-29

62-29 Changgyeonggung-ro, Jung-gu

■ 가격 PRICE

단품 Carte ₩ - ₩₩₩

■ 운영시간 OPENING HOURS

11:30-21:00 (L.O.)

■ 휴무일
ANNUAL AND WEEKLY CLOSING

1월 1일, 설날, 추석, 월요일 휴무
Closed 1st January, Lunar New Year, Korean Thanksgiving and Monday

서울 시내 최고의 평양식 냉면 전문점 중 하나로 손꼽히는 우래옥은 1946년 개업한 이래 꾸준히 전통을 이어오고 있는 유서 깊은 레스토랑이다. 이 집의 대표 메뉴는 전통 평양냉면과 불고기. 오랜 세월에 걸쳐 습득한 노하우와 국내산 재료만을 사용하는 뚝심으로 한결같은 맛을 자랑하는 냉면과 고품질의 한우를 제공한다. 레스토랑 내부가 상당히 넓은 편이라 많은 손님들이 몰리는 바쁜 시간에도 효율적인 좌석 배치가 가능하지만, 그럼에도 문 앞엔 항상 긴 줄이 늘어서 있다.

Lauded as one of the best Pyeongyang cold buckwheat noodle restaurants in the city, Woo Lae Oak has been serving consistently stellar food since 1946. The family-operated establishment is tucked away in the back alleys of Euljiro 4-ga, a bustling business hub. The restaurant interior is spacious and spotlessly clean. Indulge in their legendary Pyeongyang cold buckwheat noodles, served in broth or in a spicy sauce, and their bulgogi, grilled tableside.

중구 JUNG-GU

유림면
YURIMMYEON

메밀 국수 *Memil-Guksu*

서소문동에서 50년 이상 영업을 이어온, 오랜 역사를 지니고 있는 유림면. 1980년에 지금의 자리로 이전해 3대째 운영하고 있는 가족 경영 식당이다. 이곳에선 신안의 비금도 소금과 봉평 메밀만을 이용해 면을 직접 만드는데, 미리 숙성시켜 놓은 면을 주문과 동시에 삶아 낸다. 김민경 대표는 이렇게 숙성 과정을 거친 면은 글루텐 형성이 최소화되어 식감이 훨씬 부드럽고 소화가 잘 된다고 설명한다. 메뉴 중 나물과 지단, 그리고 달콤한 양념을 올려 내는 비빔메밀국수는 든든한 한 끼 식사로 충분하다. 또한 깔끔한 국물이 매력적인 메밀국수와 어묵을 푸짐히 담아 내는 가락국수도 이곳의 인기 메뉴다.

For over 50 years, this family-run eatery has been serving bowls of noodles to those seeking comforting nourishment. The fresh buckwheat noodles, one of its bestsellers, are made from scratch, daily, using premium salt from Bigeumdo Island in Sinan County, and buckwheat flour from Bongpyeong. Topped with seasoned vegetables, thin strips of egg garnish, and a dollop of sweet and spicy sauce, a bowl of these noodles makes for a satisfying meal. Garak-guksu, wheat noodles in piping hot broth, comes with a generous serving of fishcake.

TEL. 02-755-0659

중구 서소문로 139-1

139-1 Seosomun-ro, Jung-gu

■ 가 격 PRICE

단품 Carte ₩

■ 운영시간 OPENING HOURS

11:00-20:30 (L.O.)
주말 Weekend 11:00-19:30 (L.O.)

■ 휴무일
ANNUAL AND WEEKLY CLOSING

설날, 추석, 둘째, 넷째 주 일요일 휴무
Closed Lunar New Year, Korean Thanksgiving and 2nd & 4th Sunday of the month

25

TEL. 02-772-9994

중구 을지로6

6 Eulji-ro, Jung-gu

■ 가격 PRICE

점심 Lunch

단품 Carte ₩

저녁 Dinner

코스 Menu ₩₩ - ₩₩₩

단품 Carte ₩ - ₩₩₩

■ 운영시간 OPENING HOURS

점심 Lunch 11:00-13:40 (L.O.)

저녁 Dinner 17:00-21:30 (L.O.)

■ 휴무일

ANNUAL AND WEEKLY CLOSING

설날, 추석, 일요일 휴무

Closed Lunar New Year, Korean Thanksgiving and Sunday

이나니와 요스케

INANIWA YOSUKE

우동 *Udon*

일본의 대표적인 면 요리인 우동. 일본의 3대 우동이라 불리는 사누키, 미즈사와, 이나니와 우동은 각각 개성이 뚜렷한 면발로 사랑받아왔다. 이나니와 우동은 우리나라에 가장 널리 알려진 통통한 면발의 사누키 우동과는 달리 면이 가늘고 납작하며, 식감은 부드럽고 쫄깃한 동시에 기분 좋은 탄력을 자랑한다. 수작업으로 만들어지는 이나니와 요스케 우동은 건면으로 생산하는데, 사흘의 작업 기간이 소요된다. 일본 사토 요스케의 서울 분점으로 현지의 맛을 그대로 즐길 수 있으며 그중 참깨 쯔유와 간장 쯔유를 곁들여 먹는 차가운 세이로 우동의 인기가 높다. 저녁엔 좀 더 다양한 요리와 함께 사케를 즐길 수 있다.

Inaniwa Yosuke specializes in authentic handmade Inaniwa-style udon, a top three variety in Japan, together with Sanuki-style and Mizusawa-style udon. The restaurant is the Seoul branch of the Sato Yosuke chain in Japan. Inaniwa-style udon is the thinner and flatter cousin of the Sanuki-style version ubiquitous to Korea. The texture of the former is soft while being pleasantly chewy with a distinct springiness. The chilled seiro udon served with sesame tsuyu and soy sauce tsuyu is one of the establishment's timeless bestsellers.

충무로 쭈꾸미 불고기
CHUNGMURO JJUKKUMI BULGOGI

바비큐 *Barbecue*

어린 시절, 한정식 레스토랑을 운영하셨던 어머니의 영향으로 식당을 운영하게 되었다는 현 대표가 1976년에 문을 연 충무로 쭈꾸미 불고기. 이곳은 숯불에 구운 주꾸미 불고기 메뉴로 40년 동안 외길을 걸어온 충무로의 명물로 한 끼 식사, 또는 안주로 여전히 많은 이들의 사랑을 받고 있다. 이 집의 특제 주꾸미 양념은 '마력의 소스'라 불릴 만큼 감칠맛이 있고 또 맛있게 맵다. 주꾸미와 키조개 관자를 함께 내오는 모둠도 이곳의 인기 메뉴다. 식사의 마무리로는 매콤한 '쭈꾸미 야채 볶음밥'을 추천한다.

Webfoot octopus is a beloved spring delicacy, but this restaurant has been serving them all year round since 1976. Here, it is served marinated in a bright red sauce that is mildly sweet and spicy. Grilled over charcoal, the slightly charred morsels of octopus have a delightfully smoky flavor. The popular "mixed platter" comes with an order of webfoot octopus and fan mussels. Lively atmosphere.

TEL. 02-2279-0803

중구 퇴계로31길 11

11 Toegye-ro 31-gil, Jung-gu

■ 가격 PRICE

단품 Carte ₩₩

■ 운영시간 OPENING HOURS

12:00-21:00 (L.O.)

■ 휴무일

ANNUAL AND WEEKLY CLOSING

설날, 추석, 일요일 휴무

Closed Lunar New Year, Korean Thanksgiving and Sunday

필동면옥
PILDONG MYEONOK

냉면 *Naengmyeon*

P

TEL. 02-2266-2611

중구 서애로 26

26 Seoae-ro, Jung-gu

■ **가 격 PRICE**

단품 Carte ₩ - ₩₩

■ **운영시간 OPENING HOURS**

11:00-21:00 (L.O.)

■ **휴무일**
ANNUAL AND WEEKLY CLOSING

설날, 추석, 일요일 휴무
Closed Lunar New Year, Korean Thanksgiving and Sunday

중구 필동에 자리하고 있는 남산골 한옥마을 인근의 평양냉면 레스토랑. 내로라하는 평양냉면 전문점 중 하나인 필동면옥은 오랜 세월 많은 이들에게 사랑받아왔다. 자칫 특징 없이 밍밍하다고 느낄 수 있을 만큼 깔끔한 맛을 자랑하는 이곳 육수에서 나는 섬세한 육 향과 은은한 감칠맛에 중독되어 단골이 된 손님들도 많다고. 두툼하면서도 부드럽고 촉촉한 돼지 수육은 이 집의 또 다른 명물이다. 정통 평양냉면을 선보이는 곳들 중에서도 특유의 섬세함을 가장 잘 표현해낸다는 평을 받는 곳이기도 하다.

Located near Namsangol Hanok Village by Chungmuro subway station, this restaurant is a Pil-dong landmark that has been serving Pyeong-yang cold buckwheat noodles for decades. The restaurant's chilled broth has a delicate beef flavor, its subtlety both loved and disputed among cold buckwheat noodle aficionados. Another highlight of the restaurant is the buttery and tender boiled pork slices, served in thick slices with a dipping sauce. Homemade dumplings are also popular.

하동관
HADONGKWAN

곰탕 *Gomtang*

1939년부터 한결같은 맛으로 명성을 유지해온 명동의 터줏대감 하동관. 오랜 세월의 노하우가 고스란히 담긴 이곳의 곰탕은 깔끔하면서도 깊은 맛을 자랑한다. 곰탕 한 그릇에 양지, 내포, 양 등 소의 다양한 부위를 골고루 푸짐하게 내오는 것이 이 집의 특징이다. 맑은 고깃국물에 밥을 토렴해 내오는 곰탕에 다진 파를 넉넉하게 얹어 서울식 깍두기와 함께 먹으면 든든한 한 끼 식사로 그만이다. 분주한 아침과 점심시간에는 줄 서서 기다려야 하며, 다른 손님들과 합석하는 경우도 빈번하다. 이곳은 그날 준비한 분량을 모두 소진하면 영업을 종료한다. 계산은 선불제이고, 포장도 가능하다.

This beloved family-owned culinary landmark, located on a busy side street in Myeong-dong, has been serving rustic bowls of beef bone soup since 1939. The version here is served in traditional brass bowls with rice already submerged in the hot soup. The broth is pure and rich with an unmistakable sweetness that can only result from boiling large amounts of beef for a long period of time. This old-fashioned, no-fuss eatery opens early in the morning and closes when its soup vats run dry.

TEL. 02-776-5656

중구 명동9길 12

12 Myeongdong 9-gil, Jung-gu

www.hadongkwan.com

■ 가 격 PRICE

단품 Carte ₩ - ₩₩

■ 운영시간 OPENING HOURS

07:00-15:30 (L.O.)

■ 휴무일
ANNUAL AND WEEKLY CLOSING

설날, 추석, 일요일 휴무
Closed Lunar New Year, Korean Thanksgiving and Sunday

중구 JUNG-GU

TEL. 02-752-9376

중구 서소문로 11길 1

1 Seosomun-ro 11-gil, Jung-gu

www.krsamgyetang.com

■ 가격 PRICE

단품 Carte ₩ - ₩₩

■ 운영시간 OPENING HOURS

10:30-21:00 (L.O.)

■ 휴무일
ANNUAL AND WEEKLY CLOSING

5월 1일, 설날, 추석 휴무
Closed 1st May, Lunar New Year and Korean Thanksgiving

고려 삼계탕
KOREA SAMGYETANG

삼계탕 *Samgyetang*

1960년에 대한민국 최초로 문을 연 삼계탕 전문점으로 현재 2대째 이어오고 있다. 전통과 현대적인 감각이 조화를 이룬 인테리어로 깔끔함 인상을 주는 이곳은 일반 삼계탕 외에 오골계를 이용한 삼계탕 역시 대표 메뉴로 꼽힌다. 산삼과 전복을 활용한 삼계탕 또한 건강식으로 더할 나위 없는 선택이다. 한편, 이곳의 삼계탕은 모두 돌솥에 조리하기 때문에 오랫동안 따뜻한 상태로 즐길 수 있으며, 한국식 전통 닭 요리를 즐기기에 훌륭한 레스토랑이다.

This second-generation restaurant has been serving countless bowls of hearty whole young chicken soup since it opened its doors in the 1960s. Try this delicious delicacy along with rice, known to boost stamina with the addition of ginseng and abalone. The traditional stone pots keep the soup piping hot until the last drop.

나인스 게이트
THE NINTH GATE
프렌치 *French*

서울 프렌치 퀴진의 발전과 흐름을 논할 때 빼놓을 수 없는 나인스 게이트가 역동적인 서울 외식업계의 흐름에 발맞춰 제2막을 시작했다. 중후한 클래식 프렌치를 기반으로 하는 점은 여전하지만, 새 단장 후 한층 세련된 느낌의 요리를 선보인다. 노련한 소믈리에의 감각이 돋보이는 와인 리스트와 서비스는 이곳에서의 식사를 더욱더 풍요롭게 해준다. 변화와 기존 정취를 모두 다 느낄 수 있어서인지 단골손님들의 발길도 여전하다. 밤 10시 이후 바 테이블에서 선보이는 다양한 와인 테이스팅 프로그램 역시 매력적이다.

It would be challenging to discuss the evolution of French dining in Seoul without mentioning The Ninth Gate. Keeping up with Seoul's ever-transforming restaurant scene, a newer and better The Ninth Gate reopened its doors to the delight of fans both old and new. While the food is still reflective of the classic French style from the days before its facelift, there is also greater sophistication that makes the restaurant more relevant than ever before. Wine-tasting programs are offered at the bar counter after 10 pm.

P 16

TEL. 02-317-0366

중구 소공로 106, 웨스틴 조선 호텔 1층

1F The Westin Chosun Hotel, 106 Sogong-ro, Jung-gu

www.echosunhotel.com

■ 가격 PRICE

점심 Lunch
코스 Menu ₩₩₩

저녁 Dinner
코스 Menu ₩₩₩₩
단품 Carte ₩₩₩ - ₩₩₩₩₩

■ 운영시간 OPENING HOURS

점심 Lunch 11:30-14:30 (L.O.)
저녁 Dinner 18:00-23:30 (L.O.)
일요일, 공휴일 Sunday and public holiday 18:00-21:30 (L.O.)

도림
TOH LIM

중식 Chinese

TEL. 02-317-7101

중구 을지로 30, 롯데호텔 37층

37F Lotte Hotel, 30 Eulji-ro, Jung-gu

www.lottehotel.com/seoul

■ 가격 PRICE

점심 Lunch
코스 Menu ₩₩ - ₩₩₩₩
단품 Carte ₩₩ - ₩₩₩₩₩

저녁 Dinner
코스 Menu ₩₩₩ - ₩₩₩₩₩
단품 Carte ₩₩ - ₩₩₩₩₩

■ 운영시간 OPENING HOURS

점심 Lunch 11:30-14:00 (L.O.)
저녁 Dinner 18:00-21:30 (L.O.)

롯데호텔 37층에 자리한 차이니즈 레스토랑 도림은 중식 고급화의 첨단을 보여주는 곳으로, 식재료 본연의 맛을 잘 표현해내기로 유명하다. 여경옥 셰프의 지휘하에 광둥식 요리를 비롯해 다양한 중식을 소개하고 있다. 이곳의 음식은 정통의 맛과 멋을 존중하며, 창의성까지 겸비한 훌륭한 중식으로 평가받는다. 요리의 품격은 고급스러움과 현대적인 감각이 녹아 있는 인테리어로 인해 한층 더 격상된다. 이곳엔 다양한 규모의 별실이 마련되어있어 돌잔치, 비즈니스 및 가족 식사 등 각종 모임 장소로도 각광받고 있다.

Located on the 37th floor of the Lotte Hotel, Toh Lim offers a state-of-the-art Chinese fine dining experience. The restaurant is acclaimed for its expert handling of ingredients, whose natural flavors shine through in the individual dishes. Led by Chef Yeo Kyung-ok, a highly respected veteran of Korea's culinary industry, the team serves up a wide array of Chinese, with a special focus on Cantonese-style cuisine. Private rooms are available.

Ministry of Culture, Sports and Tourism
Imagine your Korea
Peaceful, Healthful, Beautiful and Wonderful
Give your tired mind and body the gentle and relaxing treatment it needs. You'll feel refreshed, rejuvenated and relaxed.
[Beauty & Spa Wellness Programs]
Healing me, KOREA
BEAUTY
KOREA TOURISM ORGANIZATION

라망 시크레 N

L'AMANT SECRET

유러피안 컨템퍼러리

European contemporary

'비밀스러운 연인'을 뜻하는 '라망 시크레'. 레스케이프 호텔 26층에 자리 잡고 있는 이곳은 그 이름처럼 비밀스러운 분위기의 공간에 세련된 인테리어로 손님들을 맞는다. 미국에서 오랜 경력을 쌓고 돌아온 손종원 셰프는 '한국 스타일의 양식'을 현대적으로 풀어 낸다. 한국의 다양한 식재료를 서양 요리의 테크닉과 접목시켜 만들어 내는 음식은 신선하면서도 사뭇 익숙하게 다가온다. '라망 시크레'에서는, 좋은 재료와 그 재료를 공급하는 생산자의 마음이 주방을 거쳐 손님에게 전달되는 소통 과정을 중시하는 셰프의 마음을 느낄 수 있다.

Located on the 26th floor of L'Escape Hotel, L'Amant Secret (French for "secret lover") is an intimate space inspired by Parisian sensibilities. Chef Son Jong-won, who honed his culinary chops in the United States, strives for a style which he refers to as "Korean-style Western cuisine." His modern interpretations are based on local ingredients blended with Western cooking techniques, resulting in creations that are both original and familiar, respectful of the symbiosis between the producer and the ingredients as well as the kitchen and the diner.

TEL. 02-317-4003

중구 퇴계로 67, 레스케이프 호텔 26층

26F L'Escape Hotel, 67 Toegye-ro, Jung-gu

www.lescapehotel.com

■ 가격 PRICE

점심 Lunch

코스 Menu ₩₩₩

저녁 Dinner

코스 Menu ₩₩₩₩

■ 운영시간 OPENING HOURS

점심 Lunch 11:30-14:00 (L.O.)

일요일 Sunday 12:00-14:00 (L.O.)

저녁 Dinner 17:30-21:30 (L.O.)

■ 휴무일

ANNUAL AND WEEKLY CLOSING

일요일 저녁 휴무

Closed Sunday Dinner

16

TEL. 02-317-7031

중구 을지로 30, 롯데호텔 38층

38F Lotte Hotel, 30 Eulji-ro, Jung-gu

www.lottehotel.com/seoul

■ 가격 PRICE

코스 Menu ₩₩₩ - ₩₩₩₩₩

단품 Carte ₩₩ - ₩₩₩₩₩

■ 운영시간 OPENING HOURS

점심 Lunch 11:30-14:00 (L.O.)

저녁 Dinner 18:00-21:30 (L.O.)

모모야마
MOMOYAMA

일식 *Japanese*

수준 높은 정통 일식을 표방하는 롯데호텔의 모모야마에선 정통 가이세키 요리를 비롯해 스시, 구이, 튀김, 오차즈케, 나베 요리 등 정갈하고 고급스러운 일식을 선보인다. 재료의 신선도에 따라 요리의 성패가 좌우되는 일식의 특성을 고려해 최상급의 식재료를 셰프가 직접 국내에서 공급받는다. 이곳에선 기본에 충실한 요리뿐만 아니라 정갈한 서비스 또한 각별하다. 서울의 도심 풍경을 바라보며 즐길 수 있는 스시 오마카세도 꼭 한번 맛볼 것. 사케 소믈리에가 추천하는 40여 종의 다양한 사케도 준비되어 있다.

Momoyama is a sophisticated Japanese restaurant located on the 38th floor of the Lotte Hotel Seoul. The kitchen team offers a wide selection of Japanese cuisine from the traditional yet refined kaiseki-ryōri, to sushi to the one-pot nabemono and even chazuke (cooked rice steeped in hot tea, dashi or hot water). The chef is especially meticulous with ingredients, which he personally procures directly from producers. Momoyama also has an impressive sake selection, selected by a sake sommelier.

무궁화
MUGUNGHWA

한식 *Korean*

소공동 롯데 호텔 38층에 위치한 파인 다이닝 레스토랑 무궁화. 동양의 멋과 현대적 감성이 공존하는 공간으로 모던한 한식을 만나볼 수 있다. 제철 식재료의 맛과 효능에 대해 끊임없이 연구하는 이곳은 약과 음식은 근원이 같다는 '약식동원' 사상에 기반을 둔 건강식을 선보인다. 계절에 따라 변화하는 무궁화의 깊이 있는 요리는 정통 한식의 맛과 멋을 느끼기에 충분하다. 38층에서 내려다보는 서울의 도심 전망 또한 근사하다.

Located on the 38th floor with sweeping views of Seoul's dynamic urban jungle below, Mugunghwa is a modern Korean restaurant. The cooking is based on the basic principle that dictated Eastern medicine — that food and medicine are essentially the same. Creating modern cuisine firmly rooted in traditional Korean fare, the chef is constantly studying to bring the tastiest yet also the healthiest dishes to the table.

16

TEL. 02-317-7061

중구 을지로 30, 롯데호텔 38층

38F Lotte Hotel, 30 Eulji-ro, Jung-gu

www.lottehotel.com/seoul

■ 가 격 PRICE

점심 Lunch
코스 Menu ₩₩₩ - ₩₩₩₩

저녁 Dinner
코스 Menu ₩₩₩₩ - ₩₩₩₩₩

■ 운영시간 OPENING HOURS

점심 Lunch 11:30-13:30 (L.O.)
저녁 Dinner 18:00-21:00 (L.O.)

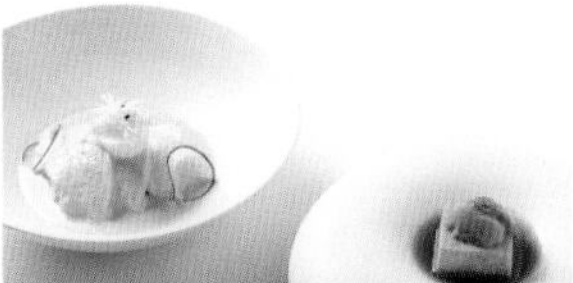

중구 JUNG-GU

브레라
BRERA
이탤리언 *Italian*

버티고개 언덕길 초입에 자리한 브레라는 무심한 듯 캐주얼한 인테리어와 활기 넘치는 분위기로 초창기 때부터 외국인 손님들이 유난히 많이 찾는 이탤리언 레스토랑이다. 이탈리아 출신 커플이 운영하는 이곳은 현지 가정식을 연상시키는 각종 파스타와 피자 요리를 선보인다. 연인과의 데이트, 회사 동료들과의 회식, 가족 잔치 등 다양한 모임에 두루 잘 어울리는 브레라의 매력은 '편안함'에 있지 않을까 싶다. 만약 정통 이탤리언 요리가 짜게 느껴진다면 주문 시 간을 약하게 해달라고 요청하기 바란다.

Owned and operated by Italians, Brera is a local haunt that has attracted more foreigners than locals from day one. With its relaxed and animated vibe, the restaurant is an ideal spot for casual date nights, after-work dinner and drinks, as well as large family gatherings. What Brera does best is unfussy homestyle Italian food; the menu offers a wide selection of fresh pasta dishes and thin-crust pizzas. Diners are encouraged to request less salt in their pasta when they order if they generally find Italian food to be on the salty side.

TEL. 02-2236-0770

중구 동호로 17길 295, 2층

2F, 295 Dongho-ro 17-gil, Jung-gu

www.brera.kr

■ 가격 PRICE

단품 Carte ₩₩ - ₩₩₩

■ 운영시간 OPENING HOURS

11:00-21:45 (L.O.)

서울 다이닝
SEOUL DINING

코리안 컨템퍼러리 *Korean contemporary*

김진래 셰프의 서울 다이닝. 끊임없이 변화하는 맛의 도시 서울을 가장 한국적인 재료를 통해 표현하고 싶었다는 그의 바람처럼 이곳의 메뉴는 계절과 식재료에 따라 다채롭게 변한다. 그는 메뉴를 구상할 때 자신이 직접 맛본 다양한 서울 음식에서 영감을 얻는다. 일례로 숯불에 구운 이베리코 돼지고기, 멜젓을 연상시키는 멸치 페스토 등 그의 경험과 직관에 의해 탄생한 요리가 인상적이다. 아늑한 다이닝 홀과 통창으로 내다보이는 장충동의 매력은 덤이다.

As the name suggests, Chef Kim Jin-rae's Seoul Dining offers food inspired by the flavors of Seoul cuisine. Chef Kim's mission is to express the ever-changing city of Seoul and its vibrant foodscape on a plate using the most iconic and typical local ingredients as tools. Each item on the menu is his own personal interpretation of something he ate in the city; for instance, the chargrilled Ibérico pork served with anchovy pesto is strongly reminiscent of Korean-style pork barbecue served with salted and fermented anchovies.

12

TEL. 02-6325-6321

중구 동호로 272, 웰콤시티 2층

2F Welcommcity, 272 Dongho-ro, Jung-gu

www.seoul-dining.com

■ 가 격 PRICE

점심 Lunch
코스 Menu ₩₩

저녁 Dinner
코스 Menu ₩₩₩

■ 운영시간 OPENING HOURS

점심 Lunch 11:30-15:00 (L.O.)
저녁 Dinner 18:00-20:30 (L.O.)

■ 휴무일
ANNUAL AND WEEKLY CLOSING
설날, 추석, 일요일, 월요일 휴무
Closed Lunar New Year, Korean Thanksgiving, Sunday and Monday

TEL. 02-317-0373

중구 소공로 106, 웨스틴 조선 호텔 20층

20F The Westin Chosun Hotel,
106 Sogong-ro, Jung-gu

www.echosunhotel.com

■ 가격 PRICE

코스 Menu ₩₩₩₩ - ₩₩₩₩₩

단품 Carte ₩₩ - ₩₩₩₩₩

■ 운영시간 OPENING HOURS

점심 Lunch 12:00-14:30 (L.O.)

저녁 Dinner 17:30-21:30 (L.O.)

스시조
SUSHI CHO

일식 *Japanese*

오랜 세월 동안 많은 스시 애호가들의 사랑을 받아온 스시조. 국내의 손꼽히는 스시 전문점 중 하나로 일본 정통 스시의 맛과 기술을 표방한다. 웨스틴조선 호텔 20층에 자리한 깔끔하고 우아한 분위기의 스시조에선 손님들에게 내는 훌륭한 음식에 걸맞은 정중한 서비스는 물론, 일식 요리와 함께 즐길 수 있는 사케도 종류별로 잘 갖춰져 있다. 서울 도심 경관이 한눈에 내려다보이는 다이닝 홀도 매력적이지만, 오붓하게 식사를 즐길 수 있는 프라이빗 룸도 그에 못지않다.

It is no secret that this restaurant has long been the stomping ground for some of the most ardent sushi aficionados. For nearly three decades, this critically acclaimed restaurant has been serving consistently sophisticated and refined Japanese cuisine in its elegant dining space, located on the 20th floor of The Westin Chosun Seoul. The top-notch food comes with charming service. Private rooms are also available.

콘티넨탈
CONTINENTAL

프렌치 French

신라호텔 23층에 자리한 클래식 프렌치 레스토랑. 내부 인테리어와 테이블웨어 역시 모던하기보다는 고전적인 분위기가 돋보인다. 이곳에선 두 가지 세트 메뉴를 선보이는데, 훌륭한 식재료로 만든 정통 프렌치 요리의 고급스러운 플레이팅과 뛰어난 맛은 좋은 인상을 남기기에 충분하다. 한마디로 서비스, 분위기, 맛이라는 세 가지 요소를 모두 충족시키는 기본이 탄탄한 레스토랑이라 할 수 있다. 서울 시내가 한눈에 내려다보이는 탁 트인 전망 역시 콘티넨탈이 제공하는 즐거움 중 하나다.

If you are looking for a refined French restaurant with all the elements of classic French luxury, Continental is a solid bet. Perched on the 23rd floor of The Shilla Seoul, the restaurant is decorated in rich colors, with large tables and French empire chairs. What's more, the bright dining room offers diners a fantastic view of the city. The meticulously prepared food is beautifully plated and served on two different set menus of your choice.

P 10

TEL. 02-2230-3369

중구 동호로 249, 신라호텔 23층

23F The Shilla Hotel,
249 Dongho-ro, Jung-gu

www.shillahotels.com

■ 가격 PRICE

점심 Lunch
코스 Menu ₩₩₩ - ₩₩₩₩
단품 Carte ₩₩₩₩ - ₩₩₩₩₩
저녁 Dinner
코스 Menu ₩₩₩₩ - ₩₩₩₩₩
단품 Carte ₩₩₩₩ - ₩₩₩₩₩

■ 운영시간 OPENING HOURS

점심 Lunch 12:00-13:30 (L.O.)
저녁 Dinner 18:00-21:00 (L.O.)

크리스탈 제이드
CRYSTAL JADE

중식 *Chinese*

P ⌂9 ☼

TEL. 02-3789-8088

중구 남대문로7길 16, 지하 1층

B1F, 16 Namdaemun-ro 7-gil, Jung-gu

www.crystaljade.com

■ 가격 PRICE

점심 Lunch

코스 Menu ₩₩ - ₩₩₩

단품 Carte ₩₩ - ₩₩₩

저녁 Dinner

코스 Menu ₩₩ - ₩₩₩₩

단품 Carte ₩₩ - ₩₩₩

■ 운영시간 OPENING HOURS

점심 Lunch 11:30-14:30 (L.O.)

저녁 Dinner 17:00-21:30 (L.O.)

주말, 공휴일 Weekend and public holiday 11:30-21:30 (L.O.)

아시아와 미국 등지에 다수의 지점을 운영하고 있는 크리스탈 제이드는 싱가포르에서 광둥식 요리를 전문으로 선보이는 중국식 체인 레스토랑이다. 레스토랑, 딤섬 전문점, 익스프레스점 등 현재 우리나라에만 20여 곳의 매장을 운영하고 있으며, 그중 11개 지점은 서울에 자리하고 있다. 상하이식 요리와 광둥식 요리, 홍콩식 딤섬 등 다양한 지역의 음식을 제공하는 이곳의 대표 메뉴로는 XO 소스에 조리한 새우 관자 요리와 짜장 소스 치킨 요리 등을 꼽을 수 있다. 이곳에선 모던하면서도 중국의 정취를 느낄 수 있는 쾌적한 다이닝 공간에서 식사를 즐길 수 있다.

Crystal Jade first opened its doors in Singapore in 1991 as a Cantonese restaurant. More than two decades later, the restaurant chain operates in many countries across Asia, including Korea, with 11 locations just in Seoul. Their mission is to serve high-quality regional cuisine from China. Classics like Hong Kong-style dim sum, sautéed prawns and scallops in XO sauce, and sautéed chicken in black bean sauce are perennial highlights.

팔레드 신 (N)
PALAIS DE CHINE
중식 *Chinese*

우아한 프렌치 감성이 물씬 풍기는 레스케이프 호텔에서 유일하게 동양의 맛과 멋을 느낄 수 있는 곳, 중식당 '팔레드 신'이다. 가장 화려했던 시절에 상하이가 가지고 있던 아름다움을 모던한 다이닝 공간으로 풀어 냈다. '팔레드 신'은 전통 중식의 맛을 추구하지만 때로는 현대적인 색깔을 과감하게 요리에 입히기도 한다. 이곳에서는 중국의 지역적 특색이 반영된 요리를 다양하게 즐길 수 있는데 그 중 하나가 바로 딤섬이다. 지역색이 뚜렷한 북경 오리 역시 인기 메뉴다.

Located inside the Parisian Belle Époque-inspired L'Escape Hotel, Palais de Chine is the only space within the hotel that offers Eastern tastes and sensibilities. Inspired by designs from Shanghai's own belle époque, the modern space offers both authentic and modern interpretations of Chinese cuisine. There is a good range of dishes on the menu that stay true to their regional eccentricities, including the dim sum selection. Palais de Chine prides itself on its Peking duck, another celebrated Chinese dish with regional distinctiveness.

P 14

TEL. 02-317-4001

중구 퇴계로 67, 레스케이프 호텔 6층

6F L'Escape Hotel, 67 Toegye-ro, Jung-gu

www.lescapehotel.com

■ 가격 PRICE

점심 Lunch
코스 Menu ₩₩₩
단품 Carte ₩₩₩ - ₩₩₩₩

저녁 Dinner
코스 Menu ₩₩₩₩
단품 Carte ₩₩₩ - ₩₩₩₩

■ 운영시간 OPENING HOURS

점심 Lunch 11:30-14:30 (L.O.)
저녁 Dinner 17:30-21:30 (L.O.)

TEL. 02-2267-7784

중구 장충단로 207

207 Jangchungdan-ro,
Jung-gu

■ 가격 PRICE

단품 Carte ₩ - ₩₩₩

■ 운영시간 OPENING HOURS

11:00-21:10 (L.O.)

■ 휴무일
ANNUAL AND WEEKLY CLOSING

설날, 추석 휴무

Closed Lunar New Year and Korean Thanksgiving

평양면옥
PYEONGYANG MYEONOK

냉면 *Naengmyeon*

장충동에서 3대째 평양냉면의 전통을 이어오고 있는 평양면옥은 서울의 유서 깊은 레스토랑으로 무더운 여름철, 입구에 길게 줄지어 있는 냉면 애호가들의 행렬로도 유명한 곳이다. 유난히 맑고 투명한 이 집의 냉면 육수는 은은한 육 향을 품고 있으며, 자극적이지 않고 깔끔한 맛이 일품이다. 냉면 외에도 다양한 메뉴를 선보이는데, 만두소를 푸짐하게 넣은 평양식 손만두와 얇게 썰어 따뜻하게 내오는 제육도 인기 메뉴다.

This establishment has been open for three generations, serving some of the finest bowls of Pyeongyang cold buckwheat noodles in the city. The long queue outside the entrance constitutes a part of the street's daily scenery during the sweltering summer months. The clear meat broth is delicately seasoned and the buckwheat noodles have a pleasant texture, firm and not too chewy. Steamed dumplings and boiled pork slices, served warm, are also standout dishes.

홍보각
HONG BO GAK
중식 *Chinese*

장충동 그랜드 앰배서더 서울 풀만 2층에 자리한 전통 차이니즈 레스토랑 홍보각. 수십 년간 중화요리의 대중화에 힘써온 여경래 셰프의 깊이 있는 중식을 즐기기에 더없이 좋은 곳으로 광둥 및 쓰촨 요리를 전문으로 한다. 풀코스로 선보이는 정탁 요리와 취향에 따라 선택할 수 있는 다양한 일품요리, 계절별 특선 요리 등 중국 각 지방의 다채로운 요리를 선보이는데, 고법 불도장, 모자 새우, 난자완스, 한 알 탕수육 등이 이곳의 대표 메뉴다. 홍보각의 고급스러우면서도 편안한 다이닝 공간은 각종 회식 자리를 비롯해 사교 모임에도 적합하다.

For a taste of authentic Cantonese and Sichuan cuisine, head over to Hong Bo Gak on the second floor of Grand Ambassador Pullman. The restaurant, helmed by a veteran chef dedicated to popularizing Chinese cuisine in Korea, offers a full-course Chinese-style dining experience as well as à la carte and seasonal menus. Stand-out dishes include Buddha Jumps Over The Wall, fried king prawn stuffed with mixed seafood mousse and garlic sauce, as well as stir-fried minced beef balls.

40

TEL. 02-2270-3141

중구 동호로 287, 그랜드 앰버서더 풀만 호텔 2층

2F Grand Ambassador Pullman Hotel, 287 Dongho-ro, Jung-gu

http://grand.ambatel.com/seoul

■ 가격 PRICE

점심 Lunch
코스 Menu ₩₩₩ - ₩₩₩₩
단품 Carte ₩ - ₩₩₩₩

저녁 Dinner
코스 Menu ₩₩₩ - ₩₩₩₩₩
단품 Carte ₩ - ₩₩₩₩

■ 운영시간 OPENING HOURS

점심 Lunch 11:30-14:30 (L.O.)
저녁 Dinner 17:30-21:00 (L.O.)

■ 휴무일
ANNUAL AND WEEKLY CLOSING
설날, 추석 휴무
Closed Lunar New Year and Korean Thanksgiving

중구 JUNG-GU

홍연
HONG YUAN
중식 *Chinese*

강렬한 붉은 톤의 인테리어가 눈길을 사로잡는 차이니즈 레스토랑 홍연은 광둥식 요리 전문점으로 우아한 분위기에서 중식 정찬의 진수를 맛볼 수 있다. 노련한 주방 팀이 만들어내는 요리는 맛도 훌륭하지만 영양학적으로도 조화로운 건강식이다. 무겁지 않은 해산물, 두부, 채소 요리에 중점을 두고 있으며, 다소 시간이 걸리더라도 고객의 건강을 최우선으로 생각하는 조리법으로 음식을 준비한다. 매일 저녁 선보이는 라이브 뮤직도 즐거운 식사 환경에 한몫한다.

Instantly memorable with its crimson décor, this high-end restaurant at The Westin Chosun Seoul, specializes in Cantonese cuisine. The elegant space offers a taste of the best in Chinese-style formal dining, with its classic yet innovative dishes. Hong Yuan's commitment to using the freshest ingredients to make healthy and tasty food is unparalleled, as seen in its heavy use of seafood, tofu and vegetables. Live music during dinner service.

40

TEL. 02-317-0494

중구 소공로 106, 웨스틴 조선 호텔 1층

1F The Westin Chosun Hotel,
106 Sogong-ro, Jung-gu

www.echosunhotel.com

■ 가격 PRICE

점심 Lunch
코스 Menu ₩₩₩₩ - ₩₩₩₩₩
단품 Carte ₩₩₩ - ₩₩₩₩₩

■ 운영시간 OPENING HOURS

점심 Lunch 12:00-14:30 (L.O.)
저녁 Dinner 18:00-21:30 (L.O.)

중구 JUNG-GU

호텔
HOTELS

더 신라
THE SHILLA

사시사철 수려한 경관을 자랑하는 남산에 자리 잡은 더 신라호텔. 창밖으로 보이는 남산의 아름다운 풍경이 호텔의 품격을 한층 높여준다. 이곳은 국제적인 감각을 갖춘 서울의 특급 호텔로, 넓고 고급스러운 부대시설과 전 세계 다양한 요리를 제공하는 수준 높은 레스토랑을 갖추고 있다. 또한 고객 편의를 위해 객실마다 고급스러운 비품을 구비해두고 있으며, 대규모 연회 시설과 실내 골프장 등 품격 있는 여가 시설에서 다채로운 서비스를 즐길 수 있다.

Set against the picturesque Namsan Park and hill at the mouth of the walking trail along the Seoul City wall, The Shilla has been synonymous with world-class luxury since 1979. Featuring a wide range of fine dining restaurants, premier banquet and leisure facilities, a luxury spa and exclusive shopping, the hotel offers more than just comfortable accommodation. The time-honored beauty of traditional architecture, reflected in the interior design, will leave a lasting impression.

TEL. 02-2233-3131
www.shilla.net/seoul

중구 동호로 249
249 Dongho-ro, Jung-gu

2인룸 평균 가격 Price for 2 persons:
₩₩₩

객실 Rooms 464

추천 레스토랑 Recommended restaurants:
La Yeon ✿✿✿ - Continental

더 웨스틴 조선
THE WESTIN CHOSUN

1914년에 문을 연 웨스틴 조선은 명동의 중심부에 자리한 유서 깊은 서울의 특급 호텔이다. 최고의 편안함을 제공하는 객실은 주니어, 프리미엄 주니어, 이그제큐티브, 리뉴얼, 로열, 프레지덴셜 스위트로 분류되어 각기 다른 규모와 분위기를 선사하며, 넉넉한 공간과 고급스러운 인테리어로 고객들을 맞이한다. 취향에 따라 선택할 수 있는 다양한 파인 다이닝 레스토랑, 실내 수영장, 피트니스센터 등은 웨스틴 조선의 품격을 대변한다. 더불어 다양한 행사를 진행할 수 있는 연회 시설도 마련되어 있다.

Situated in the heart of the business and shopping hub of Seoul, The Westin Chosun opened in 1914, making it one of the oldest premier hotels in Seoul. The 462 luxury guestrooms offer cutting-edge amenities and personalized services to ensure maximum comfort and convenience. The well-equipped fitness center comes with a swimming pool, a spa and gym. Superb banquet halls are ideal for large-scale events while the restaurants are some of the finest in Seoul.

TEL. 02-771-0500
www.echosunhotel.com

중구 소공로 106
106 Sogong-ro, Jung-gu

2인룸 평균가격 Price for 2 persons:
₩₩₩

객실 Rooms 462

추천 레스토랑 Recommended restaurants:
Hong Yuan - Sushi Cho - The Ninth Gate

반얀트리 클럽 앤 스파
BANYAN TREE CLUB AND SPA

남산의 특급 호텔로, 자연에 파묻힌 도심 속 리조트 분위기가 물씬 풍기는 반얀트리. 이곳의 넓고 쾌적한 50여 개의 객실에선 남산 공원과 주변의 아름다운 경관을 감상할 수 있다. 또한 건물의 내·외관을 자연석으로 마감하고, 로비에 들어서면 물 흐르는 소리가 들리는 등 자연 친화적으로 설계해 주변 환경과 훌륭한 조화를 이루고 있다. 객실 인테리어는 모던하면서도 동양적인 정서가 배어 있으며, 욕실엔 넓은 석조 욕조가 마련되어 있다. 한편, 스파와 실내 수영장을 비롯한 각종 부대시설 이용 시 상주하는 전문 직원들이 친절하게 안내한다. 겨울에 아이스링크로 변신하는 야외 수영장도 인기 만점이다.

This exclusive hotel, discretely located among the lush woods of Namsan Mountain, is a true urban getaway. The main building houses 50 spacious suites featuring a distinctly Asian décor. Walking into the lobby, visitors will immediately feel at one with nature, with the sound of running water and plenty of stone and granite surfaces adorning the interior. All suites come with mini pools that look over the beautiful park and the vibrant cityscape.

TEL. 02-2250-8000
www.banyantreeclub.com
중구 장충단로 60
60 Jangchungdan-ro, Jung-gu
2인룸 평균 가격 Price for 2 persons: ₩₩₩
객실 Rooms 50

롯데
LOTTE

오랜 역사를 자랑하는 소공동 롯데호텔. 1979년부터 지금까지 수많은 관광객과 비즈니스 고객들이 머물다 간 서울의 대표적 호텔 중 하나다. 호텔 본관의 객실은 규모가 작은 편이지만 내부 디자인은 깔끔하고 기능적이다. 수준 높은 요리를 선보이는 다양한 레스토랑들과 스파, 피트니스 시설, 골프 연습장, 실내 수영장 등 다양한 부대시설이 마련되어 있는 이곳은 쇼핑과 먹을거리, 볼거리가 즐비한 시내 한복판에 위치하고 있어 교통의 편리성과 여흥이 보장된다.

Since its grand opening in 1979 as one of the first luxury hotels in Seoul, Lotte Hotel has accommodated countless tourists and business clientele from all over the world. The guestrooms in the main wing are smart and comfortable, albeit on the small side. The hotel offers a wide selection of amenities including restaurants, a spa, a fitness room, golf simulators and an indoor swimming pool.

TEL. 02-771-1000
www.lottehotel.com/seoul

중구 을지로 30
30 Eulji-ro, Jung-gu

2인 룸 평균 가격 Price for 2 persons: ₩₩₩

객실 Rooms 1015

추천 레스토랑 Recommended restaurants:
Momoyama - Mugunghwa - Pierre Gagnaire - Toh Lim

더 플라자
THE PLAZA

옆으로는 덕수궁, 정면으론 시청을 마주하고 있는 더 플라자는 2010년 이탈리아 출신의 디자이너 귀도 치옴피와 함께 진행한 대대적인 정비를 마치고 새로운 모습으로 재탄생했다. 감성적인 디자인과 세심한 서비스, 스타일과 편의성을 추구하는 더 플라자. 이곳의 모던한 침대와 가구, 그리고 생동감 넘치는 감각적인 객실은 멋진 도시 경관과 훌륭한 조화를 이루고 있다. 비즈니스 룸은 다른 객실들에 비해 상대적으로 규모가 작은 편이므로 단기 투숙객들에게 적합하다. 풍부한 채광의 실내 수영장과 최신 설비를 갖춘 피트니스센터도 이용해보기 바란다.

Located in the heart of Seoul, adjacent to City Hall and Deoksugung Palace, The Plaza is one of the oldest luxury hotels in Korea. Thanks to a collaborative renovation project with Italian designer Guido Ciompi, the newer and better hotel reopened in 2010, featuring ultramodern aesthetics with lush and vibrant color schemes. As a premier boutique property, The Plaza offers well-equipped facilities, including a large indoor pool and a fitness center.

TEL. 02-771-2200
www.hoteltheplaza.com

중구 소공로 119
119 Sogong-ro, Jung-gu

2인룸 평균가격 Price for 2 persons:
₩₩₩

객실 Rooms 410

추천레스토랑 Recommended restaurants:
Joo Ok

TEL. 02-317-4000
www.lescapehotel.com

중구 퇴계로 67
67 Toegye-ro, Jung-gu

2인룸 평균 가격 Price for 2 persons:
₩₩

객실 Rooms 204

추천 레스토랑 Recommended restaurants:
L'Amant Secret - Palais de Chine

레스케이프 N
L'ESCAPE

신세계 조선호텔의 독자 브랜드인 '레스케이프' 호텔이 2018년 7월에 문을 열었다. 프랑스어로 '탈출'을 의미하는 이름처럼, 레스케이프 호텔은 일상을 잠시 벗어나 특별한 공간에서 색다른 시간을 보낼 수 있는 장소이다. 국내에서는 찾아보기 어려운 프랑스 감성 부티크 호텔을 모토로 하는 공간은 19세기 귀족 문화에서 영감을 받은 특별한 디자인을 선보인다. 엘리베이터에서 나오는 프랑스어 안내 멘트는 현지를 여행을 하는 듯한 착각을 하게 한다. 한편 객실에 비치된 인공지능 제어 시스템과 반려견 친화 정책에서 고객을 배려하는 레스케이프만의 섬세한 서비스 정신을 느낄 수 있다. 남대문 시장의 다양한 볼거리와 명동의 쇼핑 인프라 역시 레스케이프 투숙의 또 다른 묘미이다.

Located right next to the iconic attraction Namdaemun Market, this French-style boutique hotel is resplendent with the theme "Escape to Paris." Inspired by 19th-century French noble culture, the vibrant design of guestrooms with antique style furniture brings into focus the property's overarching concept. The hotel offers an upscale voice recognition and A.I. system in guestrooms and is pet friendly. Don't miss out on the ultimate 24-7 shopping and sightseeing haven that is Namdaemun Market.

그랜드 앰배서더 풀만
GRAND AMBASSADOR PULLMAN

국내 앰배서더 계열의 호텔로, 세계적인 호텔 체인 아코르 그룹(Accor Group)과 파트너십을 맺고 있다. 모던하고 우아한 실내 인테리어와 안락함을 자랑하는 객실은 손님들에게 최상의 편안함을 선사한다. 중구와 용산구를 잇는 곳에 위치해 교통의 편의성이 보장되고, 종로와 을지로, 명동, 남대문 등의 관광 중심지와도 가까워 외국인들도 즐겨 찾는다. 또한 편리한 부대시설과 다양한 콘셉트의 레스토랑을 보유하고 있어 호텔 내에서도 여러 가지 활동이 가능하다. 그랜드 앰배서더 호텔의 역사를 한눈에 볼 수 있는 박물관도 운영하고 있다.

A partner of Accor Group, this hotel offers the ultimate comfort with its modern and elegant décor and superior service. Conveniently located near the city center, it is just a short distance away from the tourist hub of Seoul that covers Jongno, Myeong-dong and Namdaemun. Choose from a range of facilities including the spa, the shopping arcade and the business center. There is also a good selection of restaurants from buffet to Japanese fine dining.

TEL. 02-2275-1101
http://grand.ambatel.com
www.pullmanhotels.com/0966
중구 동호로 287
287 Dongho-ro, Jung-gu

2인룸 평균가격 Price for 2 persons:
₩₩

객실 Rooms 413

추천 레스토랑 Recommended restaurants:
Hong Bo Gak

중구 JUNG-GU

로얄
ROYAL

명동성당 건너편, 바쁜 상권을 공유하는 자리에 위치한 로얄 호텔 서울. 객실 인테리어는 현대적이고 깔끔한 인상을 주며, 도심 속 편안한 휴식 공간을 제공한다. 최상층의 클럽 라운지와 레스토랑에서 내려다보이는 서울 야경은 화려하면서도 멋지다. 지하에는 일본인 디자이너가 설계한 근사한 스파 시설이 투숙객들을 기다리고 있다. 한편, 1층에 있는 '더 가든'은 500년 된 회나무가 잘 보존된, 아름다운 정원이 있는 카페로 저녁엔 칵테일과 샴페인, 맥주 등을 즐길 수 있다.

The spruced-up Royal Hotel Seoul, located next to the landmark Myeongdong Cathedral, has been a local fixture since 1971. The Standard Rooms are on the small side, but modern and smartly furnished. Premier Rooms and upwards are more spacious, suitable for longer sojourns. The luxury spa was renovated by the same Japanese designer responsible for Royal's recent facelift. There are spectacular views of the city from the Club Lounge on the top floor.

TEL. 02-756-1112
www.royal.co.kr

중구 명동길 61
61 Myeongdong-gil, Jung-gu

2인룸 평균가격 Price for 2 persons: ₩

객실 Rooms 310

L7 명동
L7 MYEONGDONG

2016년 명동역 근처에 오픈한 모던하고 트렌디한 감각의 라이프스타일 호텔 L7 명동. 1층을 비롯해 현대적 감성의 실내 장식이 돋보이는 3층 로비에 가면 DJ 박스가 설치되어 있는 넓은 라운지 바를 만날 수 있다. 객실 인테리어는 그리 화려하지 않지만 깔끔한 원목 가구와 화사한 색감의 실내가 조화를 이루고 있다. 그중에서도 빼어난 경관을 만끽하고 싶다면 남산이 보이는 수페리어 룸을 선택할 것. 최상층인 21층에 위치해 전망이 훌륭한 테라스와 반신욕을 즐길 수 있는 스파 시설을 갖춰 투숙객들에게 안락한 휴식을 제공한다.

The modern tone of this chic new hotel is set from the minute you walk in, with bright yellow hanging installations greeting you. The spacious third-floor lounge is complete with a bar and a DJ booth for some evening fun. The bedroom decoration is more sensible, with white walls, light wooden furniture and compact but functional bathrooms. Sit back and enjoy the fantastic bird's-eye-view of the city that never sleeps from the 21st-floor rooftop.

TEL. 02-6310-1000
www.lottehotel.com/myeongdong-l7/ko.html
중구 퇴계로 137
137 Toegye-ro, Jung-gu,
2인룸 평균가격 Price for 2 persons: ₩
245 **객실 Rooms**

크라운 파크
CROWN PARK

2015년에 오픈한 크라운 파크 호텔 서울은 명동 지하철역과 쇼핑의 중심부에 자리하고 있다. 모던하면서도 아늑한 느낌을 주는 객실은 편리함과 안락함을 선사한다. 프런트 데스크와 레스토랑은 17층에 있으며, 18층에는 테라스와 히노키탕이 있는 5개의 넓은 스위트룸이 위치해 있다. 이곳은 편리한 교통과 명동의 분주한 상권이 제공하는 다양한 볼거리와 먹을거리를 갖춘 도심 속의 편안한 휴식처이다. 탁 트인 루프톱 가든에서 맛있는 식사와 음료를 즐기며 지친 하루의 피로를 풀어보는 건 어떨는지?

This modern hotel offers everything you need for a comfortable stay in the city. Located close to Myeong-dong subway station, Crown Park Seoul is located centrally where business, tourism, shopping and dining are plentiful. The four luxurious suite rooms, located on the 18th floor, come with a terrace and a Japanese hinoki wood bath.

TEL. 02-750-5900
www.crownparkhotel.co.kr
중구 남대문로7길 19
19 Namdaemun-ro 7-gil, Jung-gu

2인 룸 평균 가격 Price for 2 persons: ₩

객실 Rooms 204

호텔 28
HOTEL 28

과거 젊은 예술인들의 놀이터였던 명동. 호텔 28은 이러한 명동의 과거와 현재를 연결하는 문화적 공간이기도 하다. 신언식 회장과 그의 부친이자 영화배우인 신영균 씨의 문화·예술적 비전의 산물인 이곳에는 영화와 관련된 소품이 곳곳에 비치되어 있다. 모던하고 기능적인 객실과 호텔 내 상점들은 투숙객들에게 다양한 편의를 제공하고, 최고의 입지를 자랑하는 문화와 상업의 요충지인 명동은 다양한 볼거리와 즐거움을 제공한다. 모던한 부티크 호텔로의 가치를 느끼기에 충분한 곳이다.

Hotel 28, located in the heart of what is today one of Seoul's busiest commercial and business districts, is the brainchild of CEO Shin Eon-shik and his actor father Shin Young-kyun who wanted to pay homage to the vibrant history of Myeong-dong, once the stomping ground of young artists, actors and creative minds alike. Various film-related memorabilia are displayed throughout the hotel, linking the past and present of this culturally important district. The guestrooms are modern and functional and the hotel is conveniently located for everything a guest will ever need.

TEL. 02-774-2828
www.hotel28.co.kr
중구 명동7길 13
13 Myeongdong 7-gil, Jung-gu
2인룸 평균가격 Price for 2 persons: ₩
객실 Rooms 83

중구 JUNG-GU

인덱스

INDEX

스타 레스토랑
STARRED RESTAURANTS

✿✿✿

가온 Gaon	(한식 Korean)	29
라연 La Yeon	(한식 Korean)	233

✿✿

권숙수 Kwonsooksoo	(한식 Korean)	30
모수 Mosu	(이노베이티브 Innovative)	177
밍글스 Mingles	(코리안 컨템퍼러리 Korean contemporary)	31
알라 프리마 Alla Prima	(이노베이티브 Innovative)	32
임프레션 L'Impression Ⓝ	(이노베이티브 Innovative)	33
정식당 Jungsik	(코리안 컨템퍼러리 Korean contemporary)	34
코지마 Kojima	(스시 Sushi)	35

✿

곳간 Gotgan	(한식 Korean)	167
다이닝 인 스페이스 Dining in Space	(프렌치 컨템퍼러리 French contemporary)	203
도사 Dosa	(이노베이티브 Innovative)	36
떼레노 Terreno	(스패니시 Spanish)	204
라미띠에 L'Amitié	(프렌치 French)	37
묘미 Myomi Ⓝ	(코리안 컨템퍼러리 Korean contemporary)	38
무오키 Muoki	(이노베이티브 Innovative)	39
보트르 메종 Votre Maison Ⓝ	(프렌치 French)	40
비채나 Bicena	(한식 Korean)	157

빕 구르망 레스토랑
BIB GOURMAND RESTAURANTS

요리 유형별 레스토랑 분류
RESTAURANTS BY CUISINE TYPE

게장 Gejang

곰탕 Gomtang

국수 Noodles

냉면 Naengmyeon

덴푸라 Tempura

뎃판야키 Teppanyakki

테판 Teppan	(용산구 Yongsan-gu)	196

도가니탕 Doganitang

대성집 Daesungjip	(종로구 Jongno-gu)	210

돼지국밥 Dwaeji-Gukbap

광화문 국밥 Gwanghwamun Gukbap	(중구 Jung-gu)	237
옥동식 Okdongsik	(마포구 Mapo-gu)	104

두부 Dubu

백년옥 Baek Nyun Ok	(서초구 Seocho-gu)	128
피양콩 할마니 Piyangkong Halmani	(강남구 Gangnam-gu)	50
황금콩밭 Hwanggeum Kongbat	(마포구 Mapo-gu)	109

라멘 Ramen

오레노 라멘 Oreno Ramen	(마포구 Mapo-gu)	103

만두 Mandu

개성만두 궁 Gaeseong Mandu Koong	(종로구 Jongno-gu)	208
구복만두 Goobok Mandu	(용산구 Yongsan-gu)	180
만두집 Mandujip	(강남구 Gangnam-gu)	44
봉산옥 Bongsanok	(서초구 Seocho-gu)	129
자하 손만두 Jaha Son Mandu	(종로구 Jongno-gu)	216

메밀 국수 Memil-Guksu

미진 Mijin	(종로구 Jongno-gu)	211
양양 메밀 막국수 Yangyang Memil Makguksu	(서초구 Seocho-gu)	130
유림면 Yurimmyeon	(중구 Jung-gu)	245

바비큐 Barbecue

곰바위 Gom Ba Wie	(강남구 Gangnam-gu)	54
교양식사 Gyoyang Siksa	(용산구 Yongsan-gu)	179
구전 동화 Gujeon Donghwa N	(강남구 Gangnam-gu)	55
금돼지식당 Geumdwaeji Sikdang	(중구 Jung-gu)	238

스시 Sushi

스시 마이 Sushi Mai	(강남구 Gangnam-gu)	74
스시만 Sushi Man	(서초구 Seocho-gu)	135
코지마 Kojima	(강남구 Gangnam-gu)	35
타쿠미 곤 Takumi Gon	(서초구 Seocho-gu)	138

스테이크하우스 Steakhouse

볼트 스테이크하우스 Vault Steakhouse	(강남구 Gangnam-gu)	68
스테이크 하우스 Steak House	(용산구 Yongsan-gu)	191

스패니시 Spanish

떼레노 Terreno	(종로구 Jongno-gu)	204

아시안 Asian

주반 Juban	(종로구 Jongno-gu)	222

우동 Udon

교다이야 Kyodaiya	(마포구 Mapo-gu)	99
이나니와 요스케 Inaniwa Yosuke	(중구 Jung-gu)	246
현우동 Hyun Udon N	(강남구 Gangnam-gu)	52

유러피언 컨템퍼러리 European contemporary

라망 시크레 L'Amant Secret N	(중구 Jung-gu)	253
이타카 Ithaca N	(강남구 Gangnam-gu)	80
테이블 포 포 Table for Four	(서초구 Seocho-gu)	125
톡톡 Toc Toc	(강남구 Gangnam-gu)	84

육회 Yukhoe

부촌육회 Buchon Yukhoe	(종로구 Jongno-gu)	212

이노베이티브 Innovative

도사 Dosa	(강남구 Gangnam-gu)	36
류니끄 Ryunique	(강남구 Gangnam-gu)	61
모수 Mosu	(용산구 Yongsan-gu)	177
무오키 Muoki	(강남구 Gangnam-gu)	39
스와니예 Soigné	(서초구 Seocho-gu)	123
알라 프리마 Alla Prima	(강남구 Gangnam-gu)	32

이탤리언 Italian

이탤리언 컨템퍼러리 Italian contemporary

일식 Japansese

재패니즈 컨템퍼러리 Japanese contemporary

쿠시아게 Kushiage

타이 Thai

타이완 Taiwanese

탄탄면 Dandan Noodles

프렌치 French

프렌치 컨템퍼러리 French contemporary

한식 Korean

영문 알파벳 순서별 분류
ALPHABETICAL LIST OF RESTAURANTS

E

F

G

H

P

R

S

T

V

W

Y

Z

호텔 시설 및 서비스에 따른 분류
HOTELS BY COMFORT

CREDITS:

Page 4: MoTivStudio/iStock (top) - arrrief/iStock (bottom) - **Page 5:** tawatchaiprakobkit/iStock - pius99/iStock - jaehaklee/iStock - TwilightShow/iStock - efired/iStock - neomistyle/iStock - Vincent_St_Thomas/iStock - F. Guiziou/hemis.fr - RomanBabakin/iStock **Page 6:** Nungning20/iStock (top) - ohhyyo/iStock (bottom) - **Page 8:** izhairguns/iStock - **Page 9:** AlxeyPnferov/iStock - **Page 11:** Westend 61/hemis.fr - **Pages 12-13** (from top to bottom, from left to right): Vincent_St_Thomas/iStock - L. Maisant/hemis.fr - Topic Photo Agency IN/age fotostock - Shaiith/iStock - CSP_leungchopan/Fotosearch LBRF/age fotostock - L. Maisant/hemis.fr - L. Maisant/hemis.fr - J. Arnold Images/hemis.fr - **Page 28:** SUNGSU HAN/iStock - **Page 91:** SUNGSU HAN/iStock - **Page 92:** Ran Kyu Park/iStock - **Page 98:** VittoriaChe/iStock - **Page 117:** ma-no/iStock - **Page 118:** rilueda/iStock - **Page 122:** whitewish/iStock - **Page 141:** phototake/iStock - **Page 142:** webphotographeer/iStock - **Page 146:** Ran Kyu Park/iStock - **Page 150:** Kwanchai_Khammuean/iStock - **Page 153:** gofotograf/iStock - **Page 156:** webphotographeer/iStock - **Page 161:** SUNGSU HAN/iStock - **Page 162:** Pongasn68/iStock - **Page 166:** SUNGSU HAN/iStock - **Page 169:** WEKWEK/iStock - **Page 170:** Poravute/iStock - **Page 176:** Westend 61/hemis.fr - **Page 197:** ma-no/iStock - **Page 198:** hxdbzxy/iStock - **Page 202**: TanawatPontchour/iStock - **Page 223:** SUNGSU HAN/iStock - **Page 224:** kettaphoto/iStock - **Page 229:** brizmaker/Shutterstock.com - **Page 232:** SUNGSU HAN/iStock - **Page 265:** Juices Images/Photononstop - **Page 266:** webphotographeer/iStock

All other photos by Michelin, with the kind permission of the establishments mentioned in this guide.

MICHELIN TRAVEL PARTNER

Société par actions simplifiées au capital de 15 044 940 €
27 Cours de L'Île Seguin - 92100 Boulogne Billancourt (France)
R.C.S. Nanterre 433 677 721

Dépot légal : 09-2019
Printed in China: 09-2019

Although the information in this guide was believed by the authors and publisher to be accurate and current at the time of publication, they cannot accept responsibility for any inconvenience, loss or injury sustained by any person relying on information or advice contained in this guide. Things change over time and travelers should take steps to verify and confirm information, especially time sensitive information related to prices, hours of operation and availability.